Artemis Fowl

S0-BCW-668

# Eoin Colfer

# Artemis Fowl

Vertaald door Mireille Vroege

Vassallucci Amsterdam 2003

Voor Jackie

Eerste druk: september 2001
Zesde druk: oktober 2003 (paperback)

Oorspronkelijke titel: *Artemis Fowl*
Oorspronkelijke uitgave: Penguin / Viking
© Eoin Colfer 2001
© Vertaling uit het Engels: Mireille Vroege 2001
© Nederlandse uitgave: Uitgeverij Vassallucci, Amsterdam 2001
Omslagontwerp: Tony Fleetwood
ISBN 90 5000 638 8
NUR 280

# Proloog

Hoe zou je Artemis Fowl moeten beschrijven? Diverse psychiaters hebben dat vergeefs geprobeerd. Het grootste probleem is Artemis' eigen intelligentie. Hij saboteert elke test die ze hem laten doen. Hij heeft de knapste medische koppen voor raadsels gesteld en vele van hen bazelend hun eigen ziekenhuis weer in gejaagd.

Artemis is een wonderkind, dat staat buiten kijf. Maar waarom wijdt iemand die zo briljant is zich aan criminele activiteiten? Dat is een vraag die maar door één persoon kan worden beantwoord. En die houdt liever zijn mond.

Misschien kun je nog het best een nauwkeurig beeld van Artemis schetsen door het inmiddels beroemde verhaal te vertellen van zijn eerste schurkenstreek. Ik heb dit verslag samengesteld aan de hand van vraaggesprekken met slachtoffers uit de eerste hand, en naarmate het verhaal zich ontvouwt zul je je gaan realiseren dat dat nog niet zo eenvoudig was.

Het verhaal begon een tijdje geleden, aan het begin van de eenentwintigste eeuw. Artemis Fowl had een plan uitgedacht om het familiefortuin in ere te herstellen. Een plan waardoor hele beschavingen omvergeworpen zouden kunnen worden en de aarde verwikkeld zou kunnen raken in een oorlog tussen verschillende levensvormen.

Hij was toen twaalf jaar oud...

# Het Boek

Ho Chi Minh Stad in de zomer. Naar ieders maatstaven bloedheet. Het spreekt voor zich dat Artemis Fowl zo'n onprettige toestand niet zomaar voor lief zou nemen als er niet iets uiterst belangrijks op het spel stond. Iets wat belangrijk was voor 'het plan'.

Artemis hield niet zo van zon, dan zag hij er beroerd uit. Lange uren binnenshuis voor het beeldscherm van zijn computer hadden de gloed uit zijn huid gebleekt. Bij daglicht was hij zo wit als een vampier en bijna net zo prikkelbaar.

'Ik hoop dat dit niet weer een onzinnige onderneming is, Butler,' zei hij zacht en afgeknepen. 'Vooral niet na Caïro.'

Artemis was daar nog steeds een beetje pissig over. Ze waren naar aanleiding van iets wat Butlers informant had gezegd naar Egypte gereisd.

'Nee, meneer. Dit keer weet ik het zeker. Nguyen is een goeie vent.'

'Hm,' bromde Artemis, niet erg overtuigd.

Voorbijgangers zouden verbaasd zijn geweest als ze die grote man 'meneer' tegen de jongen hadden horen zeggen, dit was immers het derde millennium. Maar dit was geen gewone relatie, en zij waren geen gewone toeristen.

Ze zaten op het terras van een café aan de Dong Khaistraat te kijken naar de lokale tieners die op hun brommer over het plein reden.

Nguyen was laat, en de miezerige schaduwvlek van de parasol hielp niet erg om Artemis' humeur te verbeteren. Dit was gewoon zijn dagelijkse pessimisme. Onder dat chagrijn zat een sprankeltje hoop. Zou deze reis dan echt resultaten opleveren? Zouden ze het Boek vinden? Hij durfde er bijna niet op te hopen.

Er dribbelde een ober naar hun tafeltje. 'Nog thee, heren?' vroeg hij, waarbij zijn hoofd wild op en neer danste.

Artemis zuchtte. 'Bespaar me die vertoning en ga zitten.'

De ober draaide zich instinctief naar Butler, die immers de volwassene van de twee was. 'Maar meneer, ik ben de ober.'

Artemis tikte op het tafeltje om aandacht te vragen. 'U draagt met de hand gemaakte schoenen, een zijden hemd en drie gouden zegelringen. U spreekt Engels met een licht Oxford-accent en aan de zachte glans van uw nagels te zien bent u onlangs nog gemanicuurd. U bent geen ober. U bent onze contactpersoon Nguyen Xuan, en u hebt zich dit zielige vermomminkje aangemeten om discreet te kunnen controleren of we een wapen dragen.'

Nguyen liet zijn schouders zakken. 'Dat is zo. Ongelooflijk.'

'Niet echt. Met een slonzig schort voor wordt iemand nog geen ober.'

Nguyen ging zitten en schonk wat muntthee in een piepklein porseleinen kopje.

'Ik zal u even op de hoogte brengen van de stand van zaken wat betreft wapens,' ging Artemis verder. 'Ik ben ongewapend, maar Butler hier – mijn... eh... butler – heeft een Sig Sauer in zijn schouderholster, twee vlindermessen in zijn laarzen, een klein pistool van groot kaliber met dubbel schot in zijn mouw, een wurgdraad in zijn horloge en in verschillende zakken zitten drie verdovingsgranaten verstopt. Verder nog iets, Butler?'

'De ploertendoder, meneer.'

'O ja. In zijn hemd zit nog een fijne ouderwetse ploerten-doder met loden knop.'

Nguyen bracht het kopje trillend naar zijn mond.

'U hoeft niet te schrikken, meneer Xuan,' zei Artemis glimlachend. 'De wapens zullen niet tegen u worden gebruikt.'

Nguyen leek niet erg gerustgesteld.

'Nee,' ging Artemis verder, 'Butler zou u op honderd andere manieren kunnen doden zonder zijn wapens te gebruiken. Hoewel ik zeker weet dat één manier afdoende moet zijn.'

Nguyen had zich inmiddels behoorlijk de stuipen op het lijf laten jagen. Dat effect had Artemis meestal op mensen. Een bleke puber die met het gezag en de woordenschat van een machtige volwassen man sprak. Nguyen had de naam Fowl al eerder gehoord – wie niet trouwens, in de internationale onderwereld? – maar hij was ervan uitgegaan dat hij met Artemis senior van doen zou hebben, en niet met deze jongen. Hoewel het woord 'jongen' deze naargeestige persoon nauwelijks recht leek te doen. En die reus, Butler. Je zag zo dat hij met die kolenschoppen iemands ruggengraat kon breken alsof het een takje was. Nguyen wou eigenlijk voor geen goud nog een minuut in dit vreemde gezelschap verkeren.

'Ter zake nu,' zei Artemis, terwijl hij een microrecorder op tafel legde. 'U hebt op onze advertentie op internet gereageerd.'

Nguyen knikte, en plotseling bad hij in stilte dat zijn informatie klopte. 'Ja meneer... meester Fowl. Wat u zoekt... ik weet waar dat is.'

'Echt waar? En ik moet u op uw woord geloven? U zou me

rechtstreeks in een hinderlaag kunnen laten lopen. Mijn familie is er niet bepaald een zonder vijanden.'

Butler griste naast het oor van zijn werkgever een mug uit de lucht.

'Nee, nee,' zei Nguyen, terwijl hij zijn portefeuille pakte. 'Kijkt u maar.'

Artemis bestudeerde de polaroidfoto. Hij maande zijn hart rustig te blijven slaan. Het leek veelbelovend, maar je kon tegenwoordig alles namaken met een pc en een flatbedscanner. Op de foto was een hand te zien die uit de dichte schaduw te voorschijn kwam. Een dooraderde, groene hand.

'Hm,' mompelde hij. 'Leg uit.'

'Een vrouw. Ze is genezeres, in de buurt van de Tu Dostraat. Ze werkt in ruil voor rijstwijn. Voortdurend dronken.'

Artemis knikte. Dat klopte wel. Dat drinken. Een van de weinige steeds terugkomende feiten die zijn onderzoek had blootgelegd. Hij stond op en streek de vouwen in zijn witte poloshirt glad. 'Heel goed. Ga verder, meneer Xuan.'

Nguyen veegde het zweet van zijn smalle snorretje. 'Alleen informatie. Dat was de afspraak. Ik wil geen vloek over mezelf afroepen.'

Butler greep de informant vakkundig in zijn nek.

'Het spijt me, meneer Xuan, maar de tijd dat u nog iets te zeggen had is al lang voorbij.'

Butler duwde de protesterende Vietnamees naar een gehuurde terreinwagen, die nauwelijks nodig was in de vlakke straten van Ho Chi Minh Stad – of Saigon, zoals de plaatselijke bevolking de stad nog steeds noemde – maar Artemis wilde graag zo goed mogelijk van de burgers afgeschermd worden.

De jeep kroop in een pijnlijk langzaam tempo centimetertje

voor centimetertje vooruit, en dat werd door de gespannen verwachting die zich in Artemis' borst ophoopte alleen maar onverdraaglijker. Hij kon het niet langer onderdrukken. Zouden ze dan eindelijk aan het eind van hun zoektocht zijn gekomen? Na zes keer vals alarm, verspreid over drie continenten, zou deze met wijn volgelopen genezeres dan het goud aan het eind van de regenboog zijn? Artemis moest bijna grinniken. Goud aan het eind van de regenboog. Hij had een grap gemaakt. Dat gebeurde bepaald niet elke dag.

De brommertjes gingen als vissen in een gigantische school uiteen. Er leek geen einde aan de mensenmassa te komen. Zelfs de steegjes stonden bomvol kooplui en afdingende kopers. Koks lieten vissenkoppen in een wok met sissende olie vallen, en boefjes baanden zich een weg overal tussendoor, op zoek naar onbewaakte waardevolle spullen. Anderen zaten in de schaduw hun duimen op een gameboy te verslijten.

Nguyen zweette helemaal door zijn kaki hemd heen. Dat kwam niet door de vochtigheid, want daar was hij wel aan gewend. Het kwam door deze hele rotsituatie. Hij had beter moeten weten en zich niet met tovenarij en misdaad moeten inlaten. Hij beloofde zichzelf in stilte dat als hij hier uit zou komen, hij zijn leven zou beteren. Niet meer op schimmige verzoeken op internet reageren, en in geen geval nog met zonen van de Europese criminele adel omgaan.

Verder dan dit kon de jeep niet komen. Op een gegeven moment werden de zijstraatjes toch te smal. Artemis draaide zich om naar Nguyen. 'We schijnen verder te moeten lopen, meneer Xuan. Vlucht maar als u wilt, maar wees dan wel bedacht op een scherpe en dodelijke pijn tussen uw schouderbladen.'

Nguyen keek Butler in de ogen. Die waren donkerblauw, bijna zwart. Er viel geen genade te bekennen in die ogen. 'Maakt u zich geen zorgen,' zei hij. 'Ik zal niet vluchten.'

Ze klommen uit de auto – duizend argwanende ogen volgden hun voortgang door het dampende steegje. Een onfortuinlijke zakkenroller probeerde Butlers portefeuille te stelen. De bediende brak zonder omlaag te kijken zijn vingers. Daarna werd er ruim baan voor hen gemaakt.

Het steegje versmalde tot een weggetje met sporen. Riool- en afvoerpijpen kwamen rechtstreeks op het modderige wegdek uit. Kreupelen en bedelaars zaten in elkaar gedoken op eilandjes van rijstmatten. De meeste voorbijgangers op dit weggetje waren straatarm, met uitzondering van dit drietal.

'Nou?' vroeg Artemis dwingend. 'Waar is ze?'

Nguyen stak een vinger in de richting van een zwarte driehoek onder een verroeste brandtrap. 'Daar. Daaronder. Ze komt er nooit uit. Zelfs haar rijstwijn laat ze door een loopjongen halen. Mag ik dan nu weg?'

Artemis nam niet de moeite antwoord te geven. In plaats daarvan zocht hij zich een weg over het drassige weggetje naar de beschutting van de brandtrap. In de schaduw zag hij iets heimelijk bewegen.

'Butler, mag ik de bril even?'

Butler plukte een nachtkijker van zijn riem en legde hem in Artemis' uitgestoken hand. Het motortje van de scherptemeter stelde zich zoemend in op het licht.

Artemis bevestigde de kijker op zijn gezicht. Alles werd radioactief groen. Hij haalde diep adem en richtte zijn blik op de wriemelende schaduw. In het bijna niet-bestaande licht zat iets gehurkt op een raffiamat ongemakkelijk heen en weer te

12

schuiven. Artemis stelde de kijker scherp. Het was een kleine gestalte, abnormaal klein zelfs, gewikkeld in een smerige sjaal. Overal om haar heen lagen lege drankkruiken half in de modder ingegraven. Uit de stof stak een onderarm. Die leek wel groen. Maar ja, dat gold eigenlijk voor alles.

'Mevrouw,' zei hij, 'ik wil u een voorstel doen.'

Het hoofd van de gestalte wiebelde slaperig. 'Wijn,' zei ze raspend, en haar stem klonk als nagels die over een schoolbord werden getrokken. 'Wijn, Engels.'

Artemis glimlachte. In vreemde tongen spreken, afkeer van het licht. Klopte allemaal. 'Iers, om precies te zijn. Nou, kan ik mijn voorstel doen of niet?'

De genezeres schudde slinks met een knokige vinger. 'Eerst wijn. Dan praten.'

'Butler?'

De bodyguard haalde een klein flesje uitstekende Ierse whisky te voorschijn. Artemis pakte het flesje aan en hield het plagerig voor de schaduw. Hij had nauwelijks tijd om zijn kijker af te zetten toen de klauwachtige hand uit de duisternis naar voren schoot en de whisky weggriste. Een dooraderde groene hand. Er was geen twijfel meer mogelijk. Artemis slikte een triomfantelijke grijns weg.

'Betaal onze vriend, Butler. Het volle bedrag. En onthoud goed, meneer Xuan, dit blijft tussen ons. U wilt toch niet dat Butler terugkomt, hè?'

'Nee, nee, meester Fowl. Ik zwijg als het graf.'

'Dat is je geraden. Anders zorgt Butler er wel voor dat je ín je graf zwijgt.'

Nguyen dook het steegje in, zo opgelucht dat hij nog leefde dat hij niet eens de moeite nam het stapeltje Amerikaanse

bankbiljetten na te tellen. Dat was niets voor hem. Maar hoe dan ook, het bedrag klopte. Voor de volle twintigduizend dollar. Niet slecht voor een half uurtje werk.

Artemis wendde zich weer tot de genezeres. 'Goed, mevrouw, u hebt iets wat ik wil hebben.'

De tong van de genezeres likte een druppel alcohol uit haar mondhoek. 'Ja, Iers. Hoofdpijn. Rotte kies. Ik genees.'

Artemis zette de nachtkijker weer op en hurkte neer tot op haar hoogte. 'Ik verkeer in uitstekende gezondheid, mevrouw, afgezien van een lichte allergie voor stofmijt, en ik denk dat zelfs u daar niets aan kunt doen. Nee, wat ik van u wil, is uw Boek.'

De toverkol bleef doodstil zitten. Vanonder de sjaal gluurden felle oogjes. 'Boek?' zei ze voorzichtig. 'Ik weet van geen boek. Ik ben genezeres. Jij boek willen, naar bibliotheek gaan.'

Artemis zuchtte overdreven geduldig. 'U bent geen genezeres. U bent een vleugelelf, een p'shóg, een fairy, een kadalun, wat voor taal u ook wenst te gebruiken. En ik wil uw Boek.'

Het wezen zei een hele tijd niets. Toen sloeg ze de sjaal van haar voorhoofd terug. In de groene gloed van de nachtkijker sprong haar gezicht als een Halloween-masker op Artemis af. De neus van de vleugelelf was lang en krom, daarboven stonden twee goudkleurige spleetogen. Haar oren waren puntig, en de alcoholverslaving had haar huid als stopverf doen smelten.

'Als jij over het Boek weet, mens,' zei ze langzaam, terwijl ze zich tegen de verdovende werking van de whisky probeerde te verzetten, 'dan weet je ook over de toverkracht die ik in mijn vuist heb. Ik hoef maar met mijn vingers te knippen en je bent dood!'

Artemis haalde zijn schouders op. 'Ik denk van niet. Moet u uzelf nou toch zien. U bent bijna dood. De rijstwijn heeft uw zintuigen afgestompt. U kunt alleen nog maar wratten genezen. Zielig. Ik ben hier om u te redden, in ruil voor het Boek.'

'Wat moet een mens met ons Boek?'

'Dat gaat u niets aan. U hoeft alleen maar te weten wat uw keuzemogelijkheden zijn.'

De puntige oren van de vleugelelf trilden. Keuzemogelijkheden?

'Eén, u weigert ons het Boek te geven en wij gaan terug naar huis en laten u verder wegrotten in deze rioolput.'

'Ja,' zei de vleugelelf, 'die keuzemogelijkheid neem ik.'

'Nee hoor, niet zo gretig. Als wij hier zonder het Boek weggaan, bent u binnen een dag dood.'

'Een dag! Een dag!' De genezeres lachte. 'Ik overleef jullie wel een eeuw. Zelfs elfen die aan het mensenrijk gekluisterd zijn, kunnen honderden jaren oud worden.'

'Niet met een kwart liter wijwater in hun bast,' zei Artemis, waarbij hij op de inmiddels lege whiskyfles tikte.

De elf trok wit weg en gilde toen, met een afgrijselijk hoog, weeklagend geluid. 'Wijwater! Je hebt me vermoord, mens!'

'Klopt,' gaf Artemis toe. 'Het kan nu elk ogenblik gaan branden.'

De elf prikte aarzelend in haar buik. 'De tweede keuzemogelijkheid?'

'Zo, dus nu luisteren we wel, hè? Goed dan. Keuzemogelijkheid twee. U geeft me het Boek, een half uurtje maar. Dan geef ik u uw toverkracht terug.'

De mond van de vleugelelf zakte open. 'Mij mijn toverkracht teruggeven? Onmogelijk.'

'Nee hoor, dat kan best. Ik heb twee ampullen in mijn bezit. Eén is een flesje met bronwater van de elfenbron die zestig meter onder de ring van Tara ligt – waarschijnlijk de plaats met de meeste toverkracht op aarde. Dit werkt als tegengif voor het wijwater.'

'En de andere ampul?'

'De andere bevat een klein shot met kunstmatige toverkunst. Een virus dat zich voedt met alcohol, vermengd met een groeireagens. Dat spoelt elke druppel rijstwijn uit uw lichaam, zorgt dat u er niet meer afhankelijk van bent en geeft zelfs uw slecht functionerende lever een oppepper. Het geeft een beetje een troep, maar na een dag rent u rond of u weer duizend jaar bent.'

De vleugelelf likte haar lippen af. Dan zou ze weer naar het Volk kunnen gaan? Aanlokkelijk.

'Hoe weet ik dat ik je kan vertrouwen, mens? Je hebt me al een keer besodemieterd.'

'Daar zit wat in. Ik heb het volgende te bieden. Ik geef u op goed vertrouwen het water. En daarna, nadat ik het Boek heb bekeken, krijgt u de oppepper. Graag of niet.'

De elf dacht na. De pijn kronkelde al rond in haar buik. Ze stak haar pols uit. 'Ik doe het.'

'Dat dacht ik wel. Butler?'

De reusachtige bediende haalde een zacht, met klittenband sluitend doosje te voorschijn waarin een injectiespuit en twee flesjes zaten. Hij vulde de spuit met de doorzichtige vloeistof en spoot die in de klamme arm van de vleugelelf. De vleugelelf verstijfde even, ontspande zich toen. 'Sterke toverkracht,' fluisterde ze.

'Ja, maar niet zo sterk als uw eigen toverkracht zal zijn als ik

u eenmaal de tweede injectie heb gegeven. Dan nu het Boek.'

De vleugelelf stak haar hand in de plooien van haar smerige gewaad en tastte daar wat wel een eeuwigheid leek rond. Artemis hield zijn adem in. Dit was het grote moment. Nog even en de Fowls zouden weer machtig zijn. Er zou een nieuw rijk opkomen, met Artemis Fowl de Tweede aan het hoofd.

De elfenvrouw trok een gesloten vuist terug. 'Je hebt er toch niets aan. Het is in de oude taal geschreven.'

Artemis knikte – hij durfde niets te zeggen.

Ze deed haar knobbelige vingers open. Op haar handpalm lag een piepklein gouden boekje, ter grootte van een luciferdoosje.

'Hier, mens. Een half uur, en niet langer.'

Butler pakte het kleine boekwerkje eerbiedig aan, activeerde een compacte digitale camera en begon alle flinterdunne bladzijden van het Boek stuk voor stuk te fotograferen. Dit nam een paar minuten in beslag. Toen hij klaar was, was het hele boek op de chip van de camera opgeslagen, maar Artemis nam liever geen risico's met informatie. De luchthavenbeveiliging had al menig onvervangbare diskette gewist. Dus gaf hij zijn helper opdracht het document naar zijn mobiele telefoon over te zetten en het naar Huize Fowl in Dublin te e-mailen. Voor het half uur voorbij was stond het document met elk symbooltje uit het Elfenboek veilig en wel in de centrale Fowl-computer.

Artemis gaf het boekwerkje terug aan zijn eigenaar. 'Prettig zaken met u te hebben gedaan.'

De vleugelelf viel op haar knieën. 'En de andere drank, mens?'

Artemis glimlachte. 'O ja, de herstellende oppepper. Ik geloof dat ik die beloofd heb, ja.'

'Ja, mens heeft beloofd.'

'Goed dan. Maar voor we die toedienen moet ik u waarschuwen dat de reiniging geen pretje is. U zult dit niet leuk vinden.'

De elf gebaarde om zich heen naar alle vuiligheid. 'Dacht je dan dat ik dit prettig vond? Ik wil weer vliegen.'

Butler vulde de spuit met de vloeistof uit het tweede flesje, en spoot die rechtstreeks in de halsslagader.

De vleugelelf zakte onmiddellijk in elkaar op de mat, en haar hele gestalte begon heftig te trillen.

'Tijd om te gaan,' zei Artemis. 'Honderd jaar alcohol die op alle mogelijke manieren het lichaam verlaat is bepaald geen frisse aanblik.'

De Butlers hadden de Fowls al eeuwen gediend. Zo was het altijd geweest. Een paar vooraanstaande taalkundigen was dan ook van mening dat het zelfstandig naamwoord op die manier was ontstaan. De eerste vermelding van deze ongebruikelijke regeling was toen Virgil Butler in dienst was genomen als bediende, bodyguard en kok voor Lord Hugo de Fóle, op een van de eerste grote Normandische kruistochten.

Zodra de kinderen van de familie Butler tien jaar waren, werden ze naar een particulier opleidingscentrum in Israel gestuurd, waar ze de gespecialiseerde vaardigheden leerden die nodig waren om de jongste telg van het geslacht Fowl te bewaken. Tot deze vaardigheden behoorden onder andere uitstekende kookkunst, scherpschutterskunst, een speciale combinatie van gevechtskunsten, eerste hulp bij ongelukken en informatietechnologie. Als er aan het eind van hun opleiding geen Fowl te bewaken viel, werden de Butlers maar al te graag als bodyguard in dienst genomen voor diverse gekroonde

hoofden, meestal in Monaco of Saudi-Arabië.

Als een Fowl en een Butler eenmaal waren samengebracht waren ze de rest van hun leven onafscheidelijk. Het was een veeleisende baan, en eenzaam, maar de beloning was niet mis, als je tenminste nog leefde om die in ontvangst te nemen. Zo niet, dan kreeg je familie een schikking van zes cijfers, plus nog een maandelijkse uitkering.

De huidige Butler bewaakte de jonge meester Artemis al twaalf jaar, vanaf het moment van zijn geboorte. En hoewel ze de eeuwenoude formaliteiten in acht bleven nemen, waren ze veel meer dan alleen meester en dienaar. Voor Butler was Artemis degene die het meest in de buurt kwam van een vriend, en voor Artemis was Butler degene die het meest in de buurt kwam van een vader, zij het dan een vader die opdrachten uitvoerde.

Butler zei geen woord tot ze aan boord van het vliegtuig waren dat hen van Bangkok naar Heathrow zou brengen, maar toen moest hij het toch vragen.

'Artemis?'

Artemis keek op van het scherm van zijn PowerBook. Hij was meteen met de vertaling van het Boek aan de slag gegaan.

'Ja?'

'Die vleugelelf. Waarom hebben we het Boek niet gewoon gehouden en haar daar laten doodgaan?'

'Een lijk is bewijsmateriaal, Butler. Als het op mijn manier gebeurt, zal het Volk geen enkele reden tot argwaan hebben.'

'Maar de vleugelelf dan?'

'Ik denk niet dat zij zal durven toegeven dat ze het Boek aan mensen heeft laten zien. Hoe dan ook, ik heb een licht middel voor geheugenverlies door haar tweede injectie gemengd. Als

ze eindelijk wakker wordt, zal de afgelopen week één groot waas voor haar zijn.'

Butler knikte goedkeurend. Altijd twee stappen vooruitdenken, dat was typisch meester Artemis. Mensen zeiden dat hij een scherfje van de oude Fowl-steen was, maar dat zagen ze verkeerd – meester Artemis was een gloednieuw stuk steen zoals ze er nog nooit eerder een hadden gezien.

Nu zijn twijfels waren weggenomen, las Butler weer verder in zijn exemplaar van *Geweren en Ammunitie*, zodat zijn werkgever de geheimen van het universum verder kon ontrafelen.

# De vertaling

Je zult inmiddels wel begrepen hebben hoe ver Artemis Fowl bereid was te gaan om zijn doel te bereiken. Maar wat was zijn doel nou precies? Voor welk absurd plan was het nodig om een aan alcohol verslaafde vleugelelf te chanteren? Het antwoord luidde: goud.

De zoektocht van Artemis was twee jaar daarvoor begonnen, toen hij voor het eerst op internet was gaan surfen. Hij vond al snel de meer esoterische sites: ontvoering door buitenaardse wezens, waarnemingen van ufo's en het bovennatuurlijke. Maar hij was vooral geïnteresseerd in het bestaan van het Volk.

Terwijl hij gigabytes aan data doorspitte, kwam hij honderden vermeldingen tegen van elfen, uit bijna alle landen ter wereld. Elke beschaving had zo z'n eigen naam voor het Volk, maar ze waren zonder meer leden van dezelfde geheimzinnige familie. Diverse verhalen hadden het over een Boek, dat elke elf altijd bij zich had. Het was hun bijbel. Daarin scheen de geschiedenis van hun soort te staan, en de geboden die hun langdurig leven dicteerden. Natuurlijk was dit Boek in het Gnomisch geschreven, de elfentaal, dus daar zou geen mens iets aan hebben.

Artemis was ervan overtuigd dat het Boek met de huidige moderne technologie kon worden vertaald. En dat je met

behulp van deze vertaling een hele nieuwe groep wezens kon gaan uitbuiten.

*Ken uw vijand* luidde het motto van Artemis, dus verdiepte hij zich in het verleden van het Volk tot hij een gigantische database over hun eigenschappen had samengesteld. Maar dat was nog niet genoeg, en dus plaatste Artemis een oproep op internet:

IERSE ZAKENMAN IS BEREID GROTE HOEVEELHEID AMERIKAANSE DOLLARS TE BETALEN ALS HIJ EEN ELF, VLEUGELELF, KOBOLD OF KABOUTER KAN ONTMOETEN

De reacties waren grotendeels nep, maar Ho Chi Minh Stad was de moeite waard geweest.

Artemis was misschien wel de enige persoon ter wereld die zijn recente aanwinst ten volle kon gebruiken. Hij had nog een kinderlijk geloof in toverkracht, hoewel dat werd getemperd door een volwassen vastberadenheid om die uit te buiten. Als er iemand in staat was de elfen hun magische goud afhandig te maken, was het Artemis Fowl de Tweede wel.

Het was vroeg in de ochtend toen ze op Huize Fowl aankwamen. Artemis wilde graag zo snel mogelijk het document op zijn computer oproepen, maar hij besloot eerst even bij zijn moeder langs te gaan.

Angeline Fowl was bedlegerig. Dat was ze al sinds haar man was verdwenen. Overspannen zenuwen, zeiden de artsen, daar was niets aan te doen, alleen rust en slaappillen. Dat was nu bijna een jaar geleden.

Butlers kleine zusje Juliet zat onder aan de trap. Haar blik

boorde een gat in de muur. Zelfs de glittermascara kon haar uitdrukking niet verzachten. Artemis had die blik al eens eerder gezien, vlak voor Juliet een uitzonderlijk onbeschofte pizzajongen 'gesuplexed' had – Artemis had begrepen dat de suplex een worstelgreep was. Een ongebruikelijke hobby voor een tienermeisje. Maar ja, ze was dan ook een Butler.

'Is er iets, Juliet?'

Juliet ging snel rechtop zitten. 'Mijn eigen schuld, Artemis. Ik had de gordijnen niet goed dichtgedaan. Mevrouw Fowl kon niet slapen.'

'Hm,' mompelde Artemis, terwijl hij langzaam de eikenhouten trap op liep.

Hij maakte zich zorgen over de toestand van zijn moeder. Ze had nu al heel lang geen daglicht meer gezien. Mocht ze op wonderbaarlijke wijze herstellen en weer vol energie de slaapkamer uit komen, dan zou dat wel het einde betekenen van zijn eigen uitzonderlijke vrijheid. Dan moest hij weer terug naar school en was het uit met zijn geavanceerde criminele ondernemingen.

Hij klopte zachtjes op de dubbele boogdeuren. 'Moeder? Bent u wakker?'

Binnen werd iets tegen de deur gegooid. Het klonk kostbaar.

'Natuurlijk ben ik wakker! Hoe kan ik in godsnaam slapen in dit oogverblindende licht?'

Artemis waagde zich naar binnen. Een antiek hemelbed wierp schaduwspiralen de duisternis in, en door een kier in de fluwelen gordijnen gluurde een piezeltje bleek licht. Angeline Fowl zat in elkaar gedoken op het bed, haar bleke armen en benen gloeiden wit op in het donker.

'Artemis, liefje. Waar ben je geweest?'

Artemis zuchtte. Ze herkende hem. Dat was een goed teken. 'Op schoolreisje, moeder. Skiën in Oostenrijk.'

'Ah, skiën,' zei Angeline zangerig. 'Wat heb ik daar een zin in. Misschien als je vader terug is.'

Artemis voelde een brok in zijn keel. Dat was niets voor hem. 'Ja, misschien als vader terug is.'

'Liefje, zou je die ellendige gordijnen dicht kunnen doen? Ik verdraag dat licht niet.'

'Natuurlijk, moeder.'

Artemis ging op de tast de kamer door, voorzichtig om de lage kledingkisten heen lopend die her en der op de vloer stonden. Eindelijk sloten zijn vingers zich om de fluwelen gordijnen. Heel even verkeerde hij in de verleiding ze wijd open te gooien, maar toen zuchtte hij en trok de kier zorgvuldig dicht.

'Bedankt, liefje. Trouwens, dat dienstmeisje moet weg. Die deugt nergens voor.'

Artemis zweeg. Juliet was de afgelopen drie jaar een hardwerkend en trouw lid van de Fowl-huishouding geweest. Hij moest de vergeetachtigheid van zijn moeder maar eens in zijn voordeel gebruiken.

'U hebt natuurlijk gelijk, moeder. Ik was het al een tijdje van plan. Butler heeft een zusje dat volgens mij heel geschikt zou zijn voor deze baan. Ik heb het geloof ik al eens over haar gehad. Juliet?'

Angeline Fowl fronste haar wenkbrauwen. 'Juliet? Ja, die naam komt me wel bekend voor. Nou, iedereen is beter dan die stomme koe die we nu hebben. Wanneer kan ze beginnen?'

'Meteen. Ik zal Butler vragen of hij haar uit de personeelswoning wil laten komen.'

'Je bent een goede jongen, Artemis. Kom, geef je moeder eens een kus.'

Artemis stapte de schaduwrijke plooien van zijn moeders gewaad binnen. Ze rook geparfumeerd, als bloemblaadjes in water. Maar haar armen waren koud en zwak.

'O, liefje,' fluisterde ze, en haar stem bezorgde Artemis kippenvel in zijn nek. 'Ik hoor dingen. 's Nachts. Ze kruipen over de kussens, mijn oren in.'

Artemis voelde weer die brok in zijn keel. 'Misschien moesten we de gordijnen maar eens opendoen, moeder.'

'Nee,' snikte zijn moeder, terwijl ze hem losliet. 'Nee, want dan kan ik ze nog zien ook.'

'Moeder, alstublieft.'

Maar het had geen zin. Angeline was weg. Ze kroop naar de uiterste hoek van het bed en trok de deken op tot onder haar kin.

'Stuur het nieuwe meisje hierheen.'

'Ja, moeder.'

'Laat haar komkommerschijfjes en water meenemen.'

'Ja, moeder.'

Angeline keek hem boos aan, met sluwe ogen. 'En hou op met moeder tegen me te zeggen. Ik weet niet wíe je bent, maar je bent in elk geval niet mijn lieve kleine Arty.'

Artemis knipperde een paar opstandige tranen weg. 'Natuurlijk. Neem me niet kwalijk, moe... Sorry.'

'Hm. En waag het niet hier ooit nog te komen, anders stuur ik mijn man op je af. Hij is een heel belangrijk iemand, zie je.'

'Goed, mevrouw Fowl. Dit is de laatste keer dat u mij ziet.'

'Dat is je geraden.' Angeline bleef plotseling stokstijf zitten. 'Hoor je ze?'

Artemis schudde zijn hoofd. 'Nee, ik hoor niets...'

'Ze komen me halen. Ze zitten overal.'

Angeline dook onder de dekens. Toen Artemis de eiken-houten trap af liep kon hij haar verschrikte gesnik nog steeds horen.

Het Boek bleek veel taaier dan Artemis had verwacht. Het was net of het zich actief tegen hem verzette. Ongeacht welk programma hij erop losliet, de computer kreeg niets voor elkaar.

Artemis had elke bladzijde uitgeprint en aan de wand van zijn studeerkamer geprikt. Soms hielp het als je de dingen voor je op papier zag. Het schrift leek op niets wat hij ooit had gezien, en toch kwam het hem vreemd bekend voor. Het was duidelijk een combinatie van symbolische tekens en karakters, en de tekst slingerde zich zonder herkenbare volgorde over de bladzijde.

Het programma had een nieuwe richtlijn nodig, een centraal punt waarop het zich kon baseren. Hij scheidde alle tekens van elkaar en maakte vergelijkingen met Engelse, Chinese, Griekse, Arabische en Cyrillische teksten, en zelfs met teksten in het oud-Ierse alfabet. Niets.

Toen Juliet broodjes kwam brengen, joeg Artemis haar chagrijnig van frustratie weg. Hij ging verder met de symbolen. Het meest voorkomende pictogram was een klein mannen-figuurtje. Hij nam aan dat het een man was, hoewel hij met zijn beperkte kennis van de elfenanatomie vermoedde dat het ook best een vrouw kon zijn. Toen bedacht hij iets. Artemis opende het vertaalprogramma, selecteerde Oude Talen en koos voor het Egyptisch.

Eindelijk! Bingo! Het mannelijke symbool leek opvallend veel op de weergave van de hondgod Anoebis in de hiërogliefen van de binnenste grafkamer van Toetanchamon. Dit klopte met zijn andere gegevens. De eerste door de mens geschreven verhalen gingen over elfen, en daarin werd gesuggereerd dat hun beschaving ouder was dan die van de mens zelf. Je zou denken dat de Egyptenaren gewoon een bestaand schrift aan hun eigen behoeften hadden aangepast.

Er waren nog meer overeenkomsten, maar de symbooltjes leken net niet genoeg op elkaar om door de computer opgepikt te worden. Dit zou helemaal handmatig gedaan moeten worden. Elke figuur in het Gnomisch moest worden uitvergroot, geprint en vervolgens met de hiërogliefen vergeleken.

Artemis voelde de opwinding van het succes in zijn ribbenkast bonken. Bijna elk elfenpictogram of elke elfenletter had een Egyptische tegenhanger. De meeste waren universeel, zoals de zon of vogels, maar sommige leken exclusief bovennatuurlijk, en die moesten op maat worden vertaald. De figuur Anoebis bij voorbeeld, sloeg als hondgod natuurlijk nergens op, dus veranderde Artemis hem zodanig dat er 'de koning van de elfen' stond.

Tegen middernacht had Artemis zijn bevindingen met succes in de Mac ingevoerd. Hij hoefde nu alleen nog maar op 'decoderen' te klikken, en dat deed hij dan ook. Er kwam een lange, ingewikkelde reeks betekenisloze onzin te voorschijn.

Een normaal kind zou er al lang mee gekapt zijn, de gemiddelde volwassene zou waarschijnlijk alleen nog maar op het toetsenbord hebben kunnen rammen. Zo niet Artemis. Dit boek was een uitdaging en hij moest en zou winnen.

De letters klopten, dat wist hij zeker. Alleen de volgorde was nog verkeerd. Artemis wreef de slaap uit zijn ogen en keek weer naar de bladzijden. Elk stukje tekst was omgeven door een ononderbroken lijn. Dit zouden de paragrafen of hoofdstukken kunnen zijn, maar die moesten niet op de gebruikelijke manier – van links naar rechts en van boven naar onder – worden gelezen.

Artemis sloeg aan het experimenteren. Hij probeerde het Arabische van rechts naar links, en de Chinese kolommen. Het werkte allemaal niet. Toen zag hij dat alle bladzijden één ding met elkaar gemeen hadden: een middengedeelte. De andere symbolen stonden om dit deel heen gegroepeerd. Misschien was er dus een centraal beginpunt. Maar waar moest je daarna dan heen? Artemis keek de bladzijden erop na of ze verder nog iets gemeenschappelijks hadden. Na een paar minuten had hij die gevonden. Op elke bladzijde stond in de hoek een piepkleine speerpunt. Zou dit een pijl kunnen zijn? Een richting? Ga deze kant op? Dan zou de theorie dus zijn: begin in het midden. Volg de pijl.

Het computerprogramma was niet op een dergelijke taak berekend, dus moest Artemis improviseren. Met een hobbymesje en een liniaal sneed hij de regels van de eerste bladzijde van het Boek los en paste die op de traditionele manier van de westerse talen weer in elkaar: van links naar rechts, in regels. Toen scande hij de bladzijde opnieuw en voerde die door het aangepaste Egyptische vertaalprogramma.

De computer zoemde en ronkte en zette alle informatie over naar bits. Een aantal malen stopte hij en vroeg om een karakter of een symbool te bevestigen. Naarmate de machine de nieuwe taal leerde, gebeurde dit steeds minder. Uiteindelijk flitsten er twee woorden over het scherm: DOCUMENT GECONVERTEERD. Met van uitputting en opwinding trillende vingers klikte Artemis op 'print'. Er rolde één enkele bladzijde uit de laserprinter. Die was nu in het Engels. Ja, er stonden wat fouten in, het moest nog wat worden bijgeschaafd, maar het was goed leesbaar en, wat belangrijker was, volkomen begrijpelijk.

Artemis was zich er ten volle van bewust dat hij waarschijnlijk de eerste mens in duizenden jaren was die de magische woorden had weten te ontcijferen, en hij deed zijn bureaulamp aan en begon te lezen:

*Het Boek van het Volk*
*Instructies voor onze toverkracht en levensregels*

*Ik ben uw leraar van kruiden en spreuken*
*Laat u kijken in d'alchemistische keuken*
*Eer mij immer, eer mij tot het eind*
*Vergeet mij en uw magie verdwijnt*

*Geboden ten getale van tien maal tien*
*Geven 't antwoord op alle mysteriën*
*Kuren, vloeken, tovenarij*
*Elk geheim wordt u onthuld, door mij*

*Maar, Elf, weet dat ik niet ben bedoeld*
*Voor hem die boven in de modder woelt*
*En voor immer vervloekt is hij in elk geval*
*Die een voor een mijn geheimen verraden zal*

Artemis kon het bloed in zijn oren horen bonken. Hij had ze te pakken. Ze zouden als mieren onder zijn voeten zijn. Al hun geheimen zouden door de technologie worden blootgelegd. Plotseling werd hij ontzettend moe en hij zakte achterover in zijn stoel. Er moest nog zoveel gedaan worden. Om te beginnen moesten er nog drieënveertig bladzijden worden vertaald.

Hij drukte op de knop van de intercom die hem met de speakers overal in huis verbond. 'Butler. Haal Juliet en kom naar boven. Jullie moeten een paar puzzels voor me oplossen.'

Misschien kan op dit punt aanbeland een beetje familie-geschiedenis geen kwaad.

De Fowls waren met recht legendarische criminelen. Generaties lang hadden ze zich aan de verkeerde kant van de wet geplaatst, en hadden zo genoeg geld verzameld om een keurig leven te kunnen leiden. Maar zodra het zover was, bleek dat keurige leven ze natuurlijk helemaal niet te bevallen en keerden ze bijna direct weer terug tot de misdaad.

Artemis de Eerste, de vader van onze hoofdpersoon, was degene die het familiefortuin erdoorheen had gejaagd. Toen communistisch Rusland uiteengevallen was, had Artemis senior besloten een enorme portie van het Fowl-fortuin te investeren in nieuwe scheepsverbindingen naar het vasteland. Nieuwe consumenten, zo redeneerde hij, zouden nieuwe consumptie-goederen nodig hebben. De Russische maffia was helemaal niet gediend van een westerling die zich met hun markt kwam bemoeien, en dus besloot men hem een lesje te leren. Deze les kwam in de vorm van een gestolen Stinger-projectiel dat op de Fowl Star werd afgeschoten toen ze langs Moermansk voer. Artemis senior was aan boord van het schip, samen met de oom van Butler en 250.000 blikjes cola – een aardige knal.

De Fowls zaten niet aan de grond, bij lange na niet, maar hun status als miljardair waren ze kwijt. Artemis de Tweede zwoer plechtig dat hij dit zou goedmaken. Hij zou het familiefortuin herstellen. En dat zou hij op zijn eigen unieke manier doen.

Zodra het Boek was vertaald, kon Artemis serieus plannen beginnen te maken. Hij wist al wat het doel was, en nu kon hij gaan bedenken hoe hij dat moest bereiken.

Het einddoel was natuurlijk: goud. Het Volk scheen bijna net zo dol op het geliefde metaal als mensen. Elke elf had zijn eigen geheime voorraad, maar als het aan Artemis lag zou dat niet

lang meer duren. Tegen de tijd dat hij klaar was, zou er minstens één elf met lege zakken rondlopen.

Na achttien uur ononderbroken slapen en een licht ontbijt ging Artemis naar zijn studeerkamer boven, die hij van zijn vader had geërfd. Het was een ouderwetse kamer – donker eikenhout en boekenkasten van de vloer tot het plafond – maar Artemis had hem volgestouwd met de nieuwste computer-snufjes. In diverse hoeken van de kamer stond een hele batterij op een netwerk aangesloten Apple's te snorren. Een daarvan toonde de website van CNN via een DAT-projector, en wierp sterk uitvergrote beelden van actuele gebeurtenissen tegen de achterwand.

Butler was er al, en was bezig de computers op te starten.

'Zet ze allemaal uit, behalve het Boek. Hier heb ik rust voor nodig.'

De bediende schrok op. De CNN-site liep al bijna een jaar. Artemis was ervan overtuigd dat het nieuws over de redding van zijn vader uit die hoek zou komen. Als hij die site afsloot, betekende dat dat hij het eindelijk opgaf.

'Allemaal?'

Artemis keek even naar de achterwand. 'Ja,' zei hij ten slotte. 'Allemaal.'

Butler waagde het zijn werkgever vriendelijk op de schouder te kloppen, één keer maar, en ging toen weer aan het werk. Artemis liet zijn knokkels knakken. Het was tijd dat hij ging doen wat hij het best kon: laaghartige plannen smeden.

# holly

Holly Short lag op bed in stilte kwaad te wezen. Daar was niets bijzonders aan. Elfen stonden over het algemeen niet bekend om hun hartelijkheid. Maar Holly was nu in een uitzonderlijk slechte stemming, zelfs voor iemand van het Volk.

Misschien is een beschrijving handiger dan een lezing over de wordingsgeschiedenis van het Volk. Holly Short had een nootbruine huid, kort kastanjebruin haar en hazelnootbruine ogen. Ze had een haakneus en haar mond was vol als die van een engeltje, en dat klopte ook wel als je bedacht dat Cupido haar overgrootvader was. Haar moeder was een Europese elf met een vurig temperament en een rank figuurtje. Holly was ook slank van gestalte en ze had lange, taps toelopende vingers, heel geschikt om een zoemstok mee vast te houden. Haar oren waren natuurlijk puntig. Holly was precies één meter lang, en daarmee zat ze maar een centimeter onder het elfen-gemiddelde, maar zelfs één centimeter kan een enorm verschil uitmaken als je er toch al niet zo veel hebt.

Commandant Root was de oorzaak van Holly's ellende. Root had Holly al vanaf de eerste dag op de huid gezeten. De commandant had besloten aanstoot te nemen aan het feit dat de eerste vrouwelijke officier in de geschiedenis van de Opsporingsdienst aan zijn team was toegewezen. Opsporing stond bekend als een gevaarlijke functie, met een hoog

sterftecijfer, en Root vond dat een meisje daar niet thuishoorde. Nou, hij zou toch aan het idee moeten wennen, want Holly Short was niet van plan voor hem of voor wie dan ook te vertrekken.

Ze zou het nooit toegeven, maar er was nog een andere mogelijke oorzaak voor haar rothumeur: het Ritueel. Ze was nu al een paar manen lang van plan geweest dat uit te voeren, maar op de een of andere manier was het of ze er nooit tijd voor had. En als Root erachter kwam dat haar toverkracht aan het opraken was, dan zou ze meteen naar de Transportdienst overgeplaatst worden, zo veel was zeker.

Holly rolde van haar futon af en liep stommelend de douche in. Dat was één voordeel van dicht bij het centrum van de aarde wonen: het water was altijd warm. Geen daglicht natuurlijk, maar dat was in ruil voor privacy slechts een geringe prijs. Ondergronds. De laatste mensvrije zone. Niets was zo heerlijk als na een lange dag werken thuiskomen, je schild uitzetten en in een slijmerig bubbelbad zakken. Hemels.

De elf kleedde zich aan, ritste de dofgroene overall tot onder haar kin dicht en bond haar helm vast. De uniformen van de elfBI waren heel hip tegenwoordig. Niets vergeleken met het kneuterige pak dat de strijdmacht vroeger had moeten dragen. Schoenen met gespen, rode puntmutsen en kniebroeken! Echt waar. Geen wonder dat elfen en kabouters in de menselijke folklore zulke belachelijke figuren waren. Nou, het was waarschijnlijk maar beter zo. Als het Moddervolk wist dat de Amerikaanse FBI eigenlijk voortkwam uit de elfBI, het Elf Beveiligings Instituut, zouden ze hun mening wel herzien en misschien wel stappen ondernemen om hen uit te roeien. Ze konden dus maar beter niet opvallen en de vastgeroeste

ideeën van de mens laten voor wat ze waren.

Nu de maan bovengronds al aan de hemel stond, was er geen tijd meer voor een fatsoenlijk ontbijt. Holly pakte een restje brandnetelmilkshake uit de koelkast en dronk die in de tunnels op. Zoals gewoonlijk was het chaos op de grote verkeersweg. Vleugelelfen verstopten de doorgang als stenen in een fles. De gnomen werkten ook niet echt mee, want zoals die met hun dikke wiegende achterwerk voortsjokten, blokkeerden ze twee wegstroken. Op elke vochtig stukje grond wemelde het van de vloekpadden die scholden als bootwerkers. Dit specifieke soort was als een grap begonnen, maar had zich als een epidemie uitgebreid. Dat had iemand zeker zijn toverstok gekost.

Holly worstelde zich een weg door de menigte, in de richting van het Instituut. Buiten Schoffels Schoffel Warenhuis was al een relletje uitgebroken. Elfʙɪ-korporaal Newt probeerde het op te lossen. Veel succes ermee. Holly had in ieder geval het geluk dat ze boven de grond werkte.

De deuren van het Beveiligings Instituut werden geblokkeerd door demonstranten. De bendeoorlog tussen kobolds en dwergen was weer opgelaaid, en elke ochtend draafden er hele hordes woedende ouders op om de vrijlating van hun onschuldig kroost te eisen. Holly snoof. Als er al een onschuldige kobold bestond, dan was Holly hem nog nooit tegengekomen. Ze klonterden nu samen in de cellen, daarbij bendeliederen bulderend en vuurballen naar elkaar gooiend.

Holly werkte zich met haar schouders een weg door de menigte. 'Opzij,' bromde ze. 'Elfʙɪ.'

Ze vlogen op haar af als vliegen op een stinkworm.

'Mijn Grompot is onschuldig!'

'Wreedheid van de politie!'

'Officier, zou u mijn kindje zijn dekentje willen brengen? Anders kan hij niet slapen.'

Holly stelde haar vizier in op de spiegelstand en negeerde hen allemaal. Vroeger dwong je met je uniform nog respect af, maar dat was verleden tijd. Nu was je een doelwit. 'Neem me niet kwalijk, officier, maar ik kan mijn potje met wratten nergens vinden.' 'Alstublieft, jonge elf, mijn kat is in een stalactiet geklommen.' Of: 'Als u even een minuutje hebt, kapitein, zou u me dan kunnen vertellen hoe ik bij de Bron van de Jeugd kom?' Holly huiverde. Toeristen. Ze had zelf al genoeg aan haar hoofd.

Meer dan ze wist, zoals ze spoedig zou ontdekken.

In de hal was een kleptomane dwerg druk bezig de zakken van alle andere personen in de rij voor de registratiebalie te rollen, inclusief die van de officier aan wie hij met handboeien vastzat. Holly sloeg hem met haar zoemstok tegen zijn achterwerk. De elektrische lading verschroeide het zitgedeelte van zijn leren broek. 'Wat doe jij hier, Turf?'

Turf schrok op en de smokkelwaar viel uit zijn mouwen.

'Officier Short,' jammerde hij, zijn gezicht een masker van spijt, 'ik kan er niets aan doen. Het is nu eenmaal mijn aard.'

'Dat weet ik, Turf. En het is onze aard om je voor een paar eeuwen in de gevangenis te gooien.' Ze knipoogde naar de officier die de dwerg had gearresteerd. 'Fijn dat je zo waakzaam blijft.'

De elf bloosde en knielde om zijn portemonnee en badge op te pakken.

Holly sloop langs Roots kantoor, in de hoop dat ze haar eigen hokje zou bereiken voordat—

short! hier komen!!

Holly zuchtte. *Oké, daar gaan we weer.*

Ze stopte haar helm onder haar arm, streek de vouwen in haar uniform glad en stapte het kantoor van commandant Root binnen.

Roots gezicht was paars van woede. Dit was min of meer zijn normale toestand, een feit waaraan hij de bijnaam 'Bietenkop' te danken had. Er liep op kantoor een weddenschap over hoe lang hij nog had voor zijn hart zou exploderen. De inzet was een halve eeuw... maximaal.

Commandant Root tikte tegen de maan-o-meter op zijn pols. 'Nou?' vroeg hij. 'Hoe laat is het volgens jou?'

Holly voelde dat ze zelf ook rood aanliep. Ze was nauwelijks een minuut te laat. Er hadden zich minstens tien officieren van deze dienst nog niet gemeld, maar Root had het altijd op haar gemunt. 'De verkeersweg,' mompelde ze zwakjes. 'Er waren vier rijstroken afgesloten.'

'Hou die klotesmoezen voor je!' brulde de commandant. 'Je weet hoe dat gaat in het centrum! Sta dan een paar minuten eerder op!'

Hij had gelijk, ze wist hoe druk het altijd in Haven was. Holly Short was een geboren en getogen stadself. Sinds de mensen met experimenten met mineraalboringen waren begonnen, waren er steeds meer elfen uit de ondiepe forten verdreven, de diepte en veiligheid van Haven-Stad in. De metropool was nu overbevolkt en onderbemand. En nu was er een groepering bezig om auto's in het voetgangersgedeelte van het stadscentrum toe te laten. Alsof het er zo al niet genoeg stonk, met al die plattelandskobolds die er rondhingen.

Root had gelijk. Ze moest een beetje eerder opstaan. Maar dat ging ze toch niet doen. Dat deed ze pas als alle anderen dat ook moesten.

37

'Ik weet wat je denkt,' zei Root. 'Waarom moet ik jou nou toch steeds hebben? Waarom ga ik nooit tegen al die andere slapjanussen tekeer?'

Holly zei niets, maar het droop van haar af dat ze het ermee eens was.

'Zal ik je eens vertellen waarom dat is?'

Holly waagde het te knikken.

'Dat is omdat jij een meisje bent.'

Holly voelde dat haar vingers zich tot vuisten balden. Als ze het niet dacht!

'Maar niet waarom jij denkt,' ging Root verder. 'Jij bent het eerste meisje in de Opsporingsdienst. Het allereerste. Je bent een testcase, een voorbeeld. Elke beweging die jij maakt, wordt door een miljoen elfen in de gaten gehouden. Er is heel wat hoop op jou gevestigd. Maar er zijn ook heel wat vooroordelen tegen je. De toekomst van de ordehandhaving ligt in jouw handen, en op dit moment zou ik zeggen dat dat een beetje te veel voor je is.'

Holly knipperde met haar ogen. Zoiets had Root nog nooit eerder gezegd. Meestal was het: 'Maak je helm vast!' 'Ga rechtop staan!', bla bla bla.

'Jij moet je van je beste kant laten zien, Short, en dat betekent dat je beter moet zijn dan alle anderen.' Root zuchtte en leunde achterover in zijn draaistoel. 'Ik weet het niet met jou, Holly. Al sinds die affaire in Hamburg niet.'

Holly kreunde. De Hamburg-affaire was een volslagen ramp geweest. Een van de criminelen was naar de oppervlakte gevlucht en had met het Moddervolk proberen te onderhandelen om asiel aan te vragen. Root had de tijd stilgezet, de Veiligheidsdienst te hulp geroepen en vier keer een geheugenwissing gedaan. Heel

38

veel verspilde politietijd. Allemaal haar schuld.

De commandant pakte een formulier van zijn bureau. 'Het heeft geen zin. Ik heb een besluit genomen. Ik zet je bij Transport en ik laat je plaats innemen door korporaal Gevel.'

'Gevel!' explodeerde Holly. 'Dat is een bimbo. Een leeghoofd. Van haar kunt u geen testcase maken!'

Roots gezicht werd een nog donkerder tint paars. 'Dat kan ik wel en dat ga ik doen ook. Waarom niet? Jij hebt je aan mij nooit van je beste kant laten zien... Of je beste kant is gewoon niet goed genoeg. Het spijt me, Short, je hebt je kans gehad.'

De commandant ging weer verder met zijn papieren – duidelijk einde verhaal. De bespreking was ten einde. Holly stond daar maar, totaal verbijsterd. Ze had het verknald. De beste carrièrekans die ze ooit zou krijgen, en die had ze verprutst. Eén fout, en haar toekomst was naar de knoppen. Het was niet eerlijk. Holly voelde een woedeaanval opkomen, wat helemaal niets voor haar was, en ze slikte hem weg. Dit was niet het moment om kwaad te worden.

'Commandant Root, meneer. Ik heb het gevoel dat ik nog één kans verdien.'

Root keek niet eens op. 'En waarom dan wel?'

Holly haalde diep adem. 'Vanwege mijn staat van dienst, meneer. Die spreekt voor zich, afgezien van dat in Hamburg dan. Tien succesvolle opsporingsoperaties. Geen enkele geheugenwissing of tijdsstop, afgezien van—'

'—dat in Hamburg,' maakte Root haar zin af.

Holly waagde het erop. 'Als ik een man was – een van uw gekoesterde vleugelelfen – zouden we dit gesprek niet eens voeren.'

Root keek als gebeten op. 'Ho eens even, kapitein Short—'

Hij werd onderbroken door het gebliep van een van de telefoons op zijn bureau. Toen van twee, en toen drie. Op de muur achter hem kwam een gigantisch videoscherm krakend tot leven.

Root sloeg op de knop van de luidspreker en schakelde alle bellers naar de telefonische vergaderstand.

'Ja?'

'We hebben een vluchteling.'

Root knikte. 'Is er iets op de Scopes?'

Scopes was de handelsnaam voor de stiekeme zenderzoekers die aan de Amerikaanse communicatiesatellieten vastzaten.

'Ja,' zei beller nummer twee. 'Een grote bliep in Europa. Zuid-Italië. Geen schild.'

Root vloekte. Een elf zonder schild kon door stervelingen gezien worden, maar dat zou nog niet zo erg zijn als de overtreder er een beetje menselijk uit zou zien.

'Soort?'

'Slecht nieuws, commandant,' zei beller nummer drie. 'We hebben hier te maken met een misdadige trol.'

Root wreef in zijn ogen. Waarom gebeurden die dingen altijd als híj dienst had? Holly begreep zijn frustratie wel. Trollen waren de gemeenste wezens van de diepste tunnels. Ze dwaalden door het labyrint en joegen op alles wat de pech had hun pad te kruisen. In hun piepkleine hersentjes was geen plek voor regels of zelfbeheersing. Soms raakte er wel eens een in de schacht van een hogedruklift verzeild. Meestal werden ze dan door de geconcentreerde lucht gebraden, maar het gebeurde ook wel dat een het overleefde, en dan werd hij naar de oppervlakte geschoten. Gek van de pijn en krankzinnig van maar het kleinste beetje licht verwoesttten ze dan alles wat er

voor hun voeten liep. Root schudde zijn hoofd en vermande zich toen. 'Oké, kapitein Short. Het ziet ernaar uit dat je je kans krijgt. Je loopt op volle kracht, neem ik aan?'

'Ja, meneer,' loog Holly, zich er maar al te goed van bewust dat Root haar onmiddellijk op non-actief zou zetten als hij wist dat ze het Ritueel had verwaarloosd.

'Mooi. Pak een zijarm en haast je naar het crisisgebied.'

Holly keek naar het videoscherm. Scopes zond hogeresolutie-beelden uit van een Italiaanse vestingstad. Een rode stip bewoog zich met grote snelheid over het platteland in de richting van de menselijke bevolking.

'Doe een grondige verkenning en breng dan verslag uit. Je mag hem níet inrekenen. Is dat begrepen?'

'Ja, meneer.'

'Wij zijn het laatste kwartaal al zes man door aanvallen van trollen kwijtgeraakt. Zes man. En dat onder de grond, op bekend terrein.'

'Ik begrijp het, meneer.'

Root tuitte twijfelend zijn lippen. 'Begrijp je het, Short? Begrijp je het echt?'

'Ik geloof van wel, meneer.'

'Heb je ooit gezien wat een trol kan aanrichten bij een wezen van vlees en bloed?'

'Nee, meneer. Niet van dichtbij, meneer.'

'Mooi. Zorg dan dat vandaag niet je eerste keer wordt.'

'Begrepen.'

Root keek haar boos aan. 'Ik weet niet hoe het komt, kapitein Short, maar telkens wanneer je het met me eens dreigt te zijn, word ik bijzonder nerveus.'

Root had alle reden om nerveus te zijn. Als hij had geweten

waar deze vrij simpele opdracht op zou uitdraaien, zou hij zich waarschijnlijk hebben bedacht. Vanavond zou er ter plekke geschiedenis worden geschreven. En dan ging het niet om van die gezellige geschiedenis als de ontdekking van radium of de eerste mens op de maan. Nee, het was meer van die slechte geschiedenis, in de trant van de Spaanse Inquisitie en 'daar komt de Hindenburg'. Slecht voor mensen *en* elfen. Slecht voor iedereen.

Holly ging rechtstreeks naar de schachten. Haar anders zo kwebbelige mondje vormde nu een grimmige streep van vastberadenheid. Eén kans, meer niet. Ze zou haar concentratie door niets laten verstoren.

De gebruikelijke rij elfen die op een vakantievisum hoopten, reikte helemaal tot de hoek van Lift-Plaza, maar Holly liep erlangs door met haar badge te zwaaien. Een vechtlustige gnoom weigerde opzij te gaan.

'Waarom mogen die elfвi-lui toch altijd voor? Wat is er zo bijzonder aan jullie?'

Holly haalde diep adem door haar neus. Te allen tijde beleefd blijven. 'Politiezaken, meneer. Dus als u mij er nu langs zou willen laten?'

De gnoom krabde aan zijn gigantische achterwerk. 'Ik heb gehoord dat jullie van de elfвi die politiezaken alleen maar verzinnen om even wat maanlicht te kunnen zien. Dat heb ik gehoord.'

Holly probeerde geamuseerd te glimlachen. Wat zich daadwerkelijk om haar lippen aftekende, was meer een citroenzure grijns.

'Degene die u dat heeft wijsgemaakt is een idioot... meneer.

Elf$_{BI}$ waagt zich alleen maar boven de grond als het strikt noodzakelijk is.'

De gnoom fronste zijn wenkbrauwen. Hij had het gerucht duidelijk zelf verzonnen en vermoedde dat Holly hem net voor idioot had uitgemaakt. Tegen de tijd dat hij daar achter was, was Holly de dubbele deuren al door.

Foaly stond in de controlekamer op haar te wachten. Foaly was een paranoïde centaur, ervan overtuigd dat de menselijke informatiediensten zijn transport- en bewakingsnetwerk in de gaten hielden. Om te voorkomen dat ze zijn gedachten konden lezen droeg hij altijd een muts van aluminiumfolie.

Hij keek als gebeten op toen Holly door de schuifdeuren binnenkwam.

'Heeft iemand je hier naar binnen zien gaan?'

Holly dacht er even over na. 'De FBI, de CIA, de NASA, de DEA, de MI6. O ja, en de IIG.'

Foaly keek bedenkelijk. 'De IIG?'

'Iedereen In 't Gebouw,' grinnikte Holly.

Foaly stond op uit zijn draaistoel en klepperde naar haar toe. 'O, heel grappig, Short. Echt een giller. Ik dacht dat je door het Hamburg-incident inmiddels wel iets minder brutaal zou zijn. Als ik jou was zou ik me maar op deze klus concentreren.'

Holly vermande zich. Hij had gelijk. 'Oké, Foaly. Vertel me wat ik moet weten.'

De centaur wees naar een live uitzending van de Eurosat, die op een groot plasmascherm te zien was.

'Die rode stip is de trol. Hij is op weg naar Martina Franca, een vestingstad in de buurt van Brindisi. Voor zover wij kunnen nagaan is hij in luchtgat E7 terechtgekomen. Dat was aan het afkoelen na een aardelancering, anders was

43

die trol inmiddels krokant geroosterd.'

Holly grijnsde. Leuk, dacht ze.

'We hebben in zoverre geluk dat ons doelwit onderweg wat te eten is tegengekomen. Hij heeft een paar uur op twee koeien staan kauwen, dus daar hebben we wat tijd mee gewonnen.'

'Twee koeien?' riep Holly uit. 'Hoe groot is die gast wel niet?'

Foaly trok zijn foliemuts wat beter over zijn hoofd. 'Stiertrol. Helemaal volgroeid. Honderdtachtig kilo, met slagtanden als een wild zwijn. Een echt wíld zwijn.'

Holly slikte. Plotseling was Opsporing echt een veel betere baan dan Beveiliging.

'Oké. Wat heb je voor me?'

Foaly galoppeerde naar de tafel met apparatuur. Hij pakte iets wat op een rechthoekig horloge leek. 'Lokator. Als jij hem vindt, vinden wij jou. Het gewone werk.'

'Video?'

De centaur klikte een kleine cilinder in de daartoe bestemde groef op Holly's helm. 'Live verbinding. Batterij op kern-energie. Geen tijdslimiet. De microfoon wordt door je stem geactiveerd.'

'Mooi,' zei Holly. 'Root zei dat ik dit keer een wapen moest meenemen. Voor het geval dat.'

'Daar had ik al aan gedacht,' zei Foaly. Hij pakte een platina handwapen van de stapel. 'Een Neutrino 2000. Het nieuwste model. Zelfs de tunnelbendes hebben die nog niet. Drie standen maar liefst: verschroeid, goed doorbakken en in de as gelegd. Loopt ook op kernenergie, dus schiet maar raak. Dit lieverdje overleeft jou met wel duizend jaar.'

Holly bond het lichtgewicht wapen aan haar schouderholster. 'Ik ben er klaar voor. Geloof ik.'

Foaly grinnikte. 'Ik durf het te betwijfelen. Niemand is ooit klaar voor een trol.'

'Bedankt dat je mijn zelfvertrouwen zo oppept.'

'Zelfvertrouwen is onwetendheid,' adviseerde de centaur. 'Als je je stoer voelt, komt dat doordat er iets is wat je niet weet.'

Holly overwoog even om er tegenin te gaan, maar deed het toch maar niet. Misschien kwam dat omdat ze stiekem vermoedde dat Foaly wel eens gelijk kon hebben ook.

De drukliften werden aangedreven door gasachtige zuilen die vanuit het binnenste van de aarde uitgestoten werden. De elfBI-techneuten hadden onder Foaly's leiding titanium capsules gemaakt die zich op de stroming konden verplaatsen. Ze hadden hun eigen, onafhankelijke motor, maar voor een snel ritje naar het aardoppervlak ging er niets boven een stoot van een getijdevlam.

Foaly bracht haar voorbij een lange rij schachtnissen naar de E7. De capsule zat in zijn houder en zag er erg breekbaar uit voor iets wat op magmastromen heen en weer gewiegd zou worden. De onderkant was zwartgeblakerd en zat vol gaten van granaatscherven.

De centaur sloeg liefdevol op een van de stootranden. 'Dit schatje is al vijftig jaar in dienst. Het oudste model dat nog in de schachten werkt.'

Holly slikte weer. Ze vond die schachten zo al eng genoeg, en dan moest ze ook nog eens met zo'n antiek geval reizen? 'Wanneer wordt hij uit de roulatie genomen?'

Foaly krabde over zijn harige buik. 'Zoals het er nu met de financiën voorstaat, zal dat pas zijn als er een dodelijk ongeluk mee is gebeurd.'

Holly maakte de zware deur met een slinger open en de rubberen sluiting liet met een sissend geluid los. De capsule was niet bepaald met het oog op comfort gebouwd. Er was nauwelijks genoeg ruimte voor een benauwd zitje tussen de wirwar aan elektronica.

'Wat is dat?' vroeg Holly en wees naar een grijzige vlek op de hoofdsteun van de stoel.

Foaly schuifelde ongemakkelijk heen en weer. 'Eh... hersenvloeistof, denk ik. Bij de laatste opdracht hadden we een lek in de druk. Maar dat is nu verholpen. En de agent heeft het overleefd. Wel met een iets lager IQ, maar hij leeft en hij kan nog steeds vocht binnenhouden.'

'Nou, gelukkig maar,' mopperde Holly sarcastisch, terwijl ze zich een weg baande door de enorme hoeveelheid draden.

Foaly bond haar het harnas om en controleerde de sluitingen grondig. 'Klaar?'

Holly knikte.

Foaly tikte op de microfoon van haar helm. 'Hou contact,' zei hij, en trok de deur achter zich dicht.

Niet aan denken, zei Holly tegen zichzelf, niet aan de withete magmastroom denken die dit toestelletje gaat overspoelen. Er niet aan denken dat je naar het aardoppervlak wordt geschoten met een MACH 2-kracht die je binnenstebuiten zal proberen te keren. En vooral niet aan die bloeddorstige trol denken die je maar al te graag met zijn slagtanden van je ingewanden zal ontdoen. Nee! Niet aan denken, nergens aan—te laat.

Foaly's stem klonk in haar oortelefoon. 'Nog twintig seconden,' zei hij. 'We zitten op een beveiligd kanaal, voor het geval het Moddervolk is begonnen met ondergrondse registratie. Je weet maar nooit. Een olietanker uit het Midden-

46

Oosten heeft een keer een doorgeseind bericht onderschept. Dat heeft me een troep gegeven.'

Holly zette haar helmmicrofoon rechter. 'Concentratie, Foaly. Je hebt het nu wel over mijn leven, hoor.'

'Eh... oké, sorry. We gebruiken de rail om je in de grote schacht van de E7 te laten vallen, dus je kunt elk moment een schok verwachten. Daarmee moet je de eerste honderd kilometer vooruitkomen, en dan moet je het verder alleen doen.'

Holly knikte en kromde haar vingers rond de dubbele stuurknuppel.

'Alle systemen paraat. Vuur!'

De motoren van de capsule sloegen aan en er klonk gesuis. Het kleine toestel schokte in zijn omhulsel, waardoor Holly als een bootje op zee heen en weer werd geschud. Ze kon Foaly nauwelijks nog horen.

'Je bent nu in de bijschacht. Bereid je voor op de vlucht, Short.'

Holly trok een rubber cilinder uit het dashboard en stak hem tussen haar tanden. Wat heb je aan een radio als je je tong hebt ingeslikt. Ze activeerde de buitencamera's en schakelde haar beeldscherm in.

De E7 kwam langzaam op haar af. De lucht glinsterde in de gloed van het landingslicht. Withete vonken tuimelden de bijschacht in. Holly kon het geraas niet horen, maar ze kon het zich wel voorstellen. Een gure, villende wind alsof er miljoenen trollen aan het brullen waren.

Haar vingers grepen de stuurknuppels steviger beet. Het voertuig kwam schokkend bij de rand tot stilstand. De schacht strekte zich naar boven en naar beneden uit. Gigantisch. Grenzeloos. Alsof je een mier in een rioolbuis liet vallen.

'Daar gaat ie,' zei Foaly krakend. 'Hou je ontbijt binnen. De achtbaan is er niets bij.'

Holly knikte. Ze kon niet praten met dat rubberen ding in haar mond. De centaur kon haar toch wel door de cabinecamera zien.

'*Sayonara*, liefje,' zei Foaly, en drukte op de knop.

De houder van de capsule ging scheef hangen, waardoor Holly de afgrond in rolde. Haar maag kneep samen toen de zwaartekracht haar in zijn greep nam en haar naar het midden van de aarde trok. De seismologieafdeling had hier beneden een miljoen sondes zitten, die met een succespercentage van 99,8 magmastoten konden voorspellen. Maar ja, dan had je nog steeds die tweetiende procent.

De neergang leek een eeuwigheid te duren. Net toen Holly dacht dat ze zou eindigen als een hoopje schroot, voelde ze het. Die onvergetelijke trilling. Het gevoel dat buiten haar piepkleine bol de hele wereld uit elkaar werd geschud. Daar zou je het hebben.

'Vinnen,' zei ze – ze spuugde het woord om het rubber heen.

Foaly gaf misschien wel antwoord, maar ze kon hem toch niet meer horen. Holly kon zichzelf niet eens horen, maar op de monitor zag ze wel de stabilisatievinnen naar buiten glijden.

De vuurstoot greep haar als een orkaan beet en de capsule draaide eerst rond, voordat de vinnen grip kregen. Halfgesmolten rotsen kletterden tegen de onderkant van het toestel, waardoor het naar de wanden van de schacht schokte. Holly probeerde dit tegen te gaan door aan de stuurknuppels te rukken.

De hitte in de benauwde capsule was verschrikkelijk, zo erg dat je er een mens in kon braden. Maar elfenlongen zijn van sterker materiaal gemaakt. De snelheid trok met onzichtbare

handen aan haar lichaam en trok het vel van haar armen en gezicht strak. Holly knipperde prikkend zweet uit haar ogen en concentreerde zich op de monitor. De vuurgolf had haar capsule helemaal verzwolgen, en het was een grote ook: minstens kracht zeven, met een omtrek van zeker vijfhonderd meter. Oranjegestreept magma kolkte en siste om haar heen, op zoek naar een zwak punt in het metalen omhulsel.

De capsule kreunde en jammerde en de vijftig jaar oude klinknagels dreigden te bezwijken. Holly schudde haar hoofd. Het eerste wat ze ging doen als ze terug was, was Foaly een schop onder zijn harige kont geven. Ze voelde zich net een nootje in een dop tussen de kiezen van een trol. Ze ging er vast aan.

Een boegplaat trok krom en knapte alsof een reus er met zijn vuist een klap tegen had gegeven. Het lichtje van de drukmeter bleef knipperen. Holly voelde dat haar hoofd werd fijngeknepen. Haar ogen zouden er als eerste aangaan – die zouden als rijpe bessen uit haar hoofd springen. Ze controleerde de wijzerplaten. Nog twintig seconden voor ze uit de vuurstoot was en op warme lucht liep. Die twintig seconden leken wel een eeuwigheid te duren. Holly deed haar helm dicht om haar ogen te beschermen en ging toen door de laatste versperring van rotsen heen. Plotseling was het voorbij en dwarrelde ze omhoog op de relatief zachte warmeluchtspiralen. Holly zette haar eigen stuwraketten ook nog bij de opwaartse kracht in. Als je op de wind voortdreef had je geen seconde te verliezen.

Boven haar gaf een cirkel van neonlicht de koppelzone aan. Holly kantelde in horizontale stand en richtte de koppel-punten op de lichten. Dit was echt een precisiewerkje. Heel wat piloten waren wel zo ver gekomen, maar misten dan het koppelstation en verloren daarmee kostbare tijd. Holly niet.

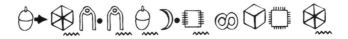

Zij was een natuurtalent, de beste van de klas.

Ze gaf de stuwraketten nog een laatste stoot en liet zich de laatste honderd meter uitdrijven. Met gebruik van het roer onder haar voeten manoeuvreerde ze de capsule door de cirkel van licht en in de houder op het landingsplatform. De koppelpunten draaiden rond en voegden zich in de groeven. Veilig.

Holly gaf zichzelf een klap op de borst, waarmee ze het veiligheidsharnas losmaakte. Zodra de deurvergrendeling open was, stroomde de capsule vol met verrukkelijke bovengrondse lucht. Niets zo heerlijk als die eerste ademteug na een tocht door de schachten. Ze haalde diep adem en dreef daarmee de muffe capsulelucht uit haar longen. Waarom was het Volk in 's hemelsnaam ooit van het aardoppervlak vertrokken? Soms wilde ze wel dat haar voorouders waren gebleven en het met het Moddervolk hadden uitgevochten. Maar die waren met teveel. In tegenstelling tot elfen, die elke twintig jaar maar één kind konden krijgen, plantte het Moddervolk zich voort als konijnen. Zelfs de toverkunst zou het tegenover die aantallen moeten afleggen.

Hoewel Holly van de avondlucht stond te genieten, kon ze wel de sporen van luchtvervuiling proeven. Het Moddervolk vernietigde alles waar het mee in aanraking kwam. Ze leefden natuurlijk niet meer in de modder. In elk geval niet in dit land. Hemel, nee. Grote chique huizen met voor alles een kamer – kamers om in te slapen, kamers om in te eten, zelfs een kamer om in naar de wc te gaan! Binnen! Holly huiverde. Stel je voor dat je in je eigen huis naar de wc ging. Walgelijk! Het enige goede van naar de wc gaan was dat de mineralen weer aan de aarde werden teruggegeven, maar het Moddervolk had zelfs dat weten te verpesten door dat... *spul* met flessen met blauwe

chemicaliën te behandelen. Als iemand haar honderd jaar geleden zou hebben verteld dat mensen de mest uit mest zouden halen, zou ze gezegd hebben dat ze luchtgaatjes in hun schedel moesten laten boren.

Holly haakte een stel vleugels uit hun houder los. Het waren dubbele ovalen, met een rammelende motor. Ze kreunde. Libelles, ze haatte dat model. Een benzinemotor, dank je feestelijk. En zwaarder dan een varken dat onder de modder zat. Nee, dan de Kolibrie z7, dat was pas een vervoermiddel. Fluisterstil, met een satellietgestuurde zonnecel waarmee je twee keer de wereld rond kon vliegen. Maar er moest natuurlijk weer worden bezuinigd.

De lokator aan haar pols begon te piepen. Ze was binnen bereik. Holly stapte uit de capsule op het landingsplatform. Ze bevond zich in een gecamoufleerde berg aarde, dat meestal een elfenfort wordt genoemd. Hier woonden vroeger ook leden van het Volk, tot ze naar dieper onder de grond werden verdreven. Er waren niet veel technologische snufjes, alleen een paar externe monitoren en een zelfvernietigingsapparaat voor het geval het platform werd ontdekt.

Op de schermen viel niets te zien. Alles was veilig. De pneumatische deuren stonden een beetje scheef, daar waar de trol erdoorheen was gedenderd, maar verder leek alles het te doen. Holly bond de vleugels om en stapte de buitenwereld in.

De Italiaanse avondlucht was fris en helder, doortrokken van de geur van olijven en wijnstokken. Krekels tsjirpten in het ruwe gras en motjes fladderden in het licht van de sterren. Holly moest glimlachen, ze kon er niets aan doen. Het was het risico waard, zeker weten.

Over risico gesproken. Ze controleerde de lokator – het

bliepje was nu veel harder. De trol was bijna bij de stadsmuren! Ze kon van de natuur genieten als de missie achter de rug was. Nu was het tijd om in actie te komen.

Holly maakte de motor van de vleugels gereed en trok over haar schouder aan het startkoord. Niets. Ze brieste in stilte. Elk verwend kind in Haven kreeg een Kolibrie voor zijn vakantie in de wildernis, en hier stond je als elfbi-agent vast met vleugels die als ze nieuw waren al niet deugden. Ze trok weer aan het koord, en nog een keer. Bij de derde zwengel sloeg hij aan en spoog een stroom rook en damp de nacht in. 'Dat werd tijd,' bromde ze, terwijl ze vol gas gaf. De vleugels fladderden omhoog tot ze een regelmatige slag te pakken hadden en, met flink wat moeite, tilden ze kapitein Holly Short de nachtlucht in.

Zelfs zonder de lokator zou de trol nog gemakkelijk te volgen zijn geweest. Hij had een spoor van vernieling achter zich gelaten dat breder was dan dat van een tunnelgraver. Holly vloog laag, tussen mistnevels en bomen door, precies het pad van de trol volgend. Het uitzinnige wezen had een baan midden door een wijngaard gemaaid, een stenen muur in puin gelegd en een waakhond brabbelend onder een heg gejaagd. Vervolgens vloog ze over de koeien. Geen fijne aanblik – zonder verder in details te treden kunnen we wel stellen dat er afgezien van wat hoorns en hoeven niet veel van over was.

De rode bliep werd luider, en luider betekende dichterbij. Ze kon de stad nu onder zich zien liggen, boven op een lage heuvel genesteld, omgeven door een middeleeuwse muur met kantelen. Achter de meeste ramen brandde nog licht. Tijd voor wat toverkracht.

Heel veel van de toverkracht die aan het Volk wordt toegeschreven is gewoon bijgeloof, maar ze hebben wel degelijk bepaalde krachten. Onder andere geneeskracht, de mesmer – de kracht om de mens willoos te maken – en beschutting door middel van het schild. Het schild is eigenlijk een verkeerde benaming. Wat elfen in werkelijkheid doen, is op zo'n hoge frequentie trillen dat ze zich nooit zo lang op één plaats bevinden dat ze gezien kunnen worden. Mensen zien dan misschien een lichte flikkering in de lucht – als ze goed opletten, en dat doen ze zelden – en zelfs dan wordt de flikkering meestal aan verdamping toegeschreven. Heel typerend voor het Moddervolk dat ze voor zo'n eenvoudig verschijnsel zo'n ingewikkelde verklaring verzinnen.

Holly zette haar schild aan. Dat vroeg wat meer van haar dan gewoonlijk. Het zweet stond op haar voorhoofd. *Eigenlijk zou ik het Ritueel moeten voltooien*, dacht ze. *Hoe eerder, hoe beter.*

Haar gedachten werden verstoord door enige commotie onder haar. Iets wat niet opging in de nachtgeluiden. Holly herschikte de verdeling van haar rugbepakking en vloog erheen om van dichterbij te kunnen kijken. Alleen kijken, zei ze nog tegen zichzelf, dat was haar taak. Een officier van de Opsporingsdienst werd door de schacht omhoog gestuurd om het doelwit precies te lokaliseren, en de Beveiligingsjongens mochten een lekkere comfortabele shuttle nemen.

De trol bevond zich recht onder haar – hij beukte tegen de buitenkant van de stadsmuur, die onder zijn machtige klauwen in brokken uit elkaar viel. Holly smoorde een geschrokken kreet. Wat een monster! Zo groot als een olifant en wel tien keer zo gemeen. Maar dit beest was nog gevaarlijker – hij was bang.

'Centrale,' zei Holly in haar microfoon. 'De vluchteling is gevonden. Uiterst kritieke situatie.'

Root kwam zelf aan de andere kant van de lijn. 'Verklaar je nader, kapitein.'

Holly richtte haar videoverbinding op de trol. 'De vluchteling gaat de stadsmuur door. Confrontatie op handen. Hoe ver weg is Beveiliging?'

'Geschatte aankomsttijd: minimaal over vijf minuten. We zitten nog in de shuttle.'

Holly beet op haar lip. Zat Root in de shuttle? 'Dat is te lang, commandant. Over tien seconden gaat deze hele stad de lucht in... Ik ga naar binnen.'

'Verboden, Holly—kapitein Short, je hebt geen uitnodiging. Je kent de wet. Blijf in positie.'

'Maar, commandant—'

Root onderbrak haar. 'Nee, geen gemaar, kapitein. Blijf op afstand. Dat is een bevel!'

Holly's hele lichaam bonkte als één hartslag. Benzinedampen verwarden haar geest. Wat moest ze doen? Wat was de juiste beslissing? Levens of bevelen?

Toen brak de trol door de muur heen en een kinderstem scheurde de nacht uiteen.

'*Aiuto!*' schreeuwde die stem.

Help. Een uitnodiging. Met een beetje goeie wil.

'Het spijt me, commandant. De trol wordt gek van het licht, en er zijn kinderen in het spel.'

Ze kon zich wel voorstellen hoe Roots gezicht er nu uitzag, terwijl hij paars van woede in de microfoon stond te blaffen. 'Ik neem je je strepen af, Short! De komende honderd jaar werk je bij de rioleringen!'

Maar het was te laat – Holly had haar microfoon afgezet en vloog achter de trol aan.

Kapitein Short stroomlijnde haar lichaam en dook in het gat. Zo te zien was ze in een restaurant. Een bomvol restaurant. De trol was tijdelijk verblind door het elektrisch licht en stond in het midden van de vloer te tieren.

De gasten waren met stomheid geslagen. Zelfs de hulproep van het kind was verstomd. Ze zaten met open mond toe te kijken, met hun feesthoedje komisch scheef op hun hoofd. Obers bleven stokstijf staan, enorme dienbladen met pasta trillend op hun gespreide vingers. Mollige Italiaanse peutertjes sloegen hun mollige handjes voor hun ogen. Zo ging het altijd in het begin, die geschrokken stilte. Daarna begon het geschreeuw.

Een wijnfles sloeg te pletter tegen de grond. Dat verbrak de betovering. De hel brak los. Holly kreunde. Trollen hadden bijna net zo'n hekel aan lawaai als aan licht.

De trol trok zijn gigantische harige schouders op en liet zijn intrekbare klauwen met een dreigend *sjiiieek* naar buiten glijden. Klassiek roofdierengedrag – hij ging aanvallen.

Holly trok haar wapen en schakelde het naar de tweede stand. Ze mocht de trol onder geen enkele omstandigheid doden. Niet om mensen te redden. Maar ze kon hem in ieder geval wel uitschakelen tot Beveiliging arriveerde.

Holly mikte op het zwakke punt aan de onderkant van de schedel en bezorgde de trol een lange stoot van de geconcentreerde ionenstraal. Het beest wankelde, zette nog een paar stappen en werd toen heel erg boos.

Niet erg, dacht Holly, ik heb mijn schild. Ik ben onzichtbaar. Voor de toeschouwers zou het eruitzien alsof de pulserende blauwe straal uit de ijle lucht te voorschijn kwam.

De trol kwam woedend op haar af, waarbij zijn modderige

dreadlocks als kaarsen heen en weer zwaaiden.

Geen paniek. Hij kan me niet zien.

De trol pakte een tafel op.

Onzichtbaar. Volkomen onzichtbaar.

Hij haalde een harige arm naar achteren en smeet de tafel door de lucht.

Niet meer dan een lichte glinstering in de lucht.

De tafel vloog recht op haar hoofd af.

Holly bewoog zich. Een seconde te laat. De tafel kwam tegen haar rugbepakking en sloeg de benzinetank eraf. Die tolde met een spoor van ontvlambare vloeistof achter zich aan door de lucht.

In Italiaanse restaurants barst het – als je het niet dacht – van de kaarsen. De tank draaide zo door de vlammen van een enorme kandelaar heen. Die vloog in de fik, alsof het een dodelijk vuurwerk was. De meeste benzine kwam op de trol terecht. En Holly ook.

De trol kon haar zien. Zoveel was zeker. Hij gluurde naar haar door het verafschuwde licht, zijn gezicht vertrokken van pijn en angst. Haar schild was uit. Haar toverkracht weg.

Holly kronkelde in zijn greep, maar het had geen zin – zijn vingers waren zo groot als bananen, maar in de verste verte niet zo buigzaam. Ze knepen met het grootste gemak de adem uit haar ribbenkast. Klauwen zo scherp als naalden krabden aan het verstevigde materiaal van haar uniform. Ze konden er nu elk moment doorheen steken en dan was het met haar gedaan.

Holly kon niet nadenken. Het restaurant was één grote, chaotische draaimolen. De trol knarste met zijn slagtanden, vettige kiezen probeerden haar helm beet te pakken. Holly kon zijn stinkende adem door haar filters ruiken. Ze kon ook de

56

stank van brandend haar ruiken, naarmate het vuur zich verder over de rug van de trol verspreidde.

De groene tong van het beest raspte over haar vizier en maakte het onderste gedeelte helemaal slijmerig. Het vizier! Dat was het! Dat was haar enige kans. Holly wurmde haar vrije hand naar de knoppen van de helm. De tunnellichten. Groot licht.

Ze drukte de verzonken knop in en 800 watt ongefilterd licht knalde uit de twee spotlights boven haar ogen.

De trol deinsde achteruit, een doordringende gil barstte tussen de rijen tanden uit. Tientallen glazen en flessen gingen ter plekke aan diggelen. Dat was te veel voor het arme beest. Verdoofd, in de fik gestoken en nu verblind. De schok en de pijn baanden zich een weg naar zijn piepkleine hersentjes en gaven daar het bevel tot acute stopzetting. De trol gehoorzaamde en sloeg met een bijna komische stijfheid opzij. Holly rolde weg om een klievende slagtand te ontwijken.

Toen was het helemaal stil, op wat tinkelend glas, knisperend haar en een plotseling uitgeblazen adem na. Holly krabbelde trillend overeind. Heel wat ogen volgden haar – mensenogen. Ze was voor de volle honderd procent zichtbaar. En die mensen zouden niet al te lang zo stilletjes blijven. Dat was nooit zo met dit ras. Onder de duim krijgen en houden, daar ging het om.

Ze hief haar lege handpalmen op. Een gebaar van vrede.

'*Scusatemi tutti*,' zei ze – de taal kwam soepel haar mond uit.

De Italianen, hoffelijk als altijd, mompelden dat het niet erg was.

Holly stak langzaam haar hand in haar zak en haalde er een kleine bol uit, een Schudder. Ze legde hem op het midden van de vloer.

'*Guardate*,' zei ze. Kijk.

De gasten van het restaurant gehoorzaamden en bogen zich voorover om de kleine zilveren bal te kunnen zien. Hij tikte, sneller en sneller, alsof hij aftelde. Holly draaide haar rug naar de bol toe. Drie, twee, een...

*Boem! Flits!* Algehele bewusteloosheid. Niets ernstigs, maar over drie kwartier zou iedereen fikse koppijn hebben. Holly zuchtte. Veilig... voor dit moment. Ze rende naar de deur en deed hem op slot. Er kon niemand in of uit, behalve door het grote gapende gat in de muur. Vervolgens bespoot ze de nog nasmeulende trol met de inhoud van de poederblusser van het restaurant, in de hoop dat het ijskoude poeder het slapende monster niet weer tot leven zou wekken.

Holly overzag de ravage die ze had aangericht. Het was een chaos, zonder meer. Erger dan Hamburg. Root zou haar levend villen. Dan kwam ze nog liever dagelijks die trol tegen. Dit betekende beslist het einde van haar carrière, maar plotseling leek dat niet zo belangrijk meer – haar ribben deden pijn en er zat een stekende hoofdpijn aan te komen. Misschien moest ze een minuutje rusten, eventjes maar, zodat ze zichzelf weer kon vermannen voordat Beveiliging kwam.

Holly nam niet eens de moeite een stoel te zoeken. Ze liet haar benen het gewoon onder zich begeven en viel neer op de zwart-wit geblokte linoleumvloer.

Wakker worden en in het opgeblazen gezicht van commandant Root kijken is iets voor in een nachtmerrie. Holly's ogen knipperden open en heel even zou ze gezworen hebben dat er bezorgdheid in die ogen te lezen stond. Maar toen was het weer weg, vervangen door de gebruikelijke razernij die aders deed springen.

'Kapitein Short!' brulde hij, zonder enige consideratie met haar hoofdpijn. 'Wat is hier in 's hemelsnaam gebeurd?'

Holly kwam trillend overeind. 'Ik... Dat is... Er was...' De zinnen wilden maar niet komen.

'Je hebt een direct bevel genegeerd. Ik zei dat je op afstand moest blijven! Je weet dat het verboden is om zonder uitnodiging een mensengebouw binnen te gaan.'

Holly wreef de schaduwen uit haar ogen. 'Ik ben wel uitgenodigd. Een kind riep om hulp, meneer.'

'Je begeeft je op glad ijs, Short.'

'Het is wel eerder gebeurd, meneer. Korporaal Rouwdouw versus de Staat. De jury bepaalde dat het hulpgeroep van de gevangengenomen vrouw beschouwd kon worden als een uitnodiging om het gebouw binnen te gaan. Hoe dan ook, jullie zijn hier nu toch ook? Dat betekent dat jullie ook op de uitnodiging zijn ingegaan.'

'Hm,' zei Root bedenkelijk, 'ik neem aan dat je geluk hebt gehad. Het had erger kunnen zijn.'

Holly keek om zich heen. Het had níet veel erger kunnen zijn. Het restaurant was een behoorlijke ravage en er lagen veertig mensen buiten westen op de grond. De techneuten waren bezig elektroden vast te maken op de slapen van de bewusteloze gasten, die hun geheugen zouden wissen.

'We zijn erin geslaagd het gebied af te sluiten, ondanks het feit dat de halve stad op de deur staat te timmeren.'

'En hoe zit het met dat gat?'

Root lachte zelfgenoegzaam. 'Kijk zelf maar.'

Holly keek in de richting van het gat. Beveiliging had een hologramstekker in de bestaande contactdozen geramd en projecteerden een ongeschonden muur over het gat heen. De

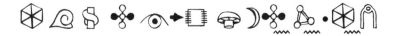

hologrammen waren handig als je snel iets moest oplappen, maar waren niet bestand tegen een kritische blik. Iemand die de muur van dichtbij zou bekijken zou zien dat de ietwat glazige plek precies hetzelfde was als het stuk ernaast. In dit geval waren er twee identieke spinnenwebvormige scheuren en twee reproducties van dezelfde Rembrandt. Maar de mensen in de pizzeria waren niet in staat de muren te bekijken, en tegen de tijd dat ze wakker werden zou de muur door de telekinetische afdeling al lang gerepareerd zijn en zou de hele paranormale belevenis uit hun geheugen verwijderd zijn.

Een elfBI-agent kwam de wc uitgestormd. 'Commandant!'

'Ja, sergeant?'

'Er zit een mens in, meneer. De Schudder heeft hem niet gevonden. Hij komt eraan, meneer. En wel meteen, meneer!'

'Schilden!' blafte Root. 'Iedereen!'

Holly probeerde het. Echt waar. Maar het wou niet komen. Haar toverkracht was verdwenen. Er kwam een peuter de wc uitgewaggeld, zijn ogen dik van de slaap. Hij wees met een mollig vingertje recht naar Holly.

'*Ciao, folletta*,' zei hij, klom op zijn vaders schoot en dutte verder.

Root flakkerde terug naar de zichtbare wereld. Hij was zo mogelijk nog bozer dan eerst. 'Wat is er met je schild gebeurd, Short?'

Holly slikte. 'Stress, meneer,' probeerde ze hoopvol.

Root trapte er niet in. 'Je hebt tegen me gelogen, kapitein. Je bent helemaal niet opgeladen, hè?'

Holly schudde zwijgend haar hoofd.

'Hoe lang is het al geleden dat je het Ritueel hebt uitgevoerd?'

Holly beet op haar lip. 'Ik zou zeggen... ongeveer... vier jaar geleden, meneer.'

Roots aderen barstten bijna. 'Vier... vier jáár? Een wonder dat je nog zo lang mee hebt kunnen komen! Doe het! Nu meteen! Vanavond nog! Je hoeft je niet onder de grond te vertonen voor je je toverkracht terug hebt. Je bent een gevaar voor jezelf en voor je collega's!'

'Ja, meneer.'

'Haal een Kolibrie bij Beveiliging en vlieg als de wiedeweerga naar het oude land. Daar is het vannacht volle maan.'

'Ja, meneer.'

'En denk maar niet dat ik deze rotzooi vergeet. We hebben het er nog over als je terug bent.'

'Ja, meneer. Goed, meneer.'

Holly draaide zich om om te gaan, maar Root schraapte zijn keel om haar aandacht te trekken. 'O ja, eh, kapitein Short...'

'Ja, meneer?'

Roots gezicht was nu niet paars meer, en hij leek bijna verlegen. 'Wat het redden van levens betreft heb je het goed gedaan. Had erger gekund, heel veel erger.'

Holly straalde achter haar vizier. Misschien zou ze dan toch niet uit de Dienst worden gezet.

'Dank u wel, meneer.'

Root gromde wat en zijn gelaatskleur kreeg weer zijn normale rossige tint.

'En nou opgerot, en waag het niet terug te komen tot je tot aan de punt van je oren vol toverkracht zit!'

Holly zuchtte. Meer dankbaarheid hoefde ze niet te verwachten. 'Ja, meneer. Ik ben al weg, meneer.'

# Ontvoering

Artemis' grote probleem was het lokaliseren: hoe moest hij een elf of een kabouter vinden? Het was zo'n geniepig stelletje wezens dat al god-weet-hoeveel millennia op aarde was en waar nog steeds niet één foto, niet één filmbeeldje of video-opname van was. Niet eens van die Loch-Ness-achtige flauwekul. Ze waren niet bepaald sociaal aangelegd. En ze waren slim ook – niemand had ooit de hand op elfengoud weten te leggen.

Maar er had ook nog nooit iemand toegang tot het Boek gehad. En raadsels waren heel eenvoudig, als je de sleutel maar had.

Artemis had de Butlers in zijn studeerkamer ontboden, en sprak hen nu vanachter een minilessenaar toe. 'Er zijn bepaalde rituelen die elke elf moet uitvoeren om zijn toverkracht weer op te laden,' legde Artemis uit.

Butler en Juliet knikten, alsof dit een doodgewone uitleg was.

Artemis bladerde door zijn versie van het Boek en koos een passage uit.

> *Uit de aarde bloeit op uwe kracht*
> *wees dankbaar om deze gunst der macht*
> *Pluk het magisch zaad waar u het ziet staan*
> *Bij kronkelend water, oude eik en volle maan*
> *En begraaf het ver van de plek waar u het vond*
> *Dus geef uw geschenk terug aan de grond*

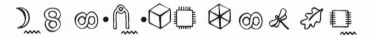

62

Artemis legde de tekst weg. 'Begrijpen jullie het?'

Butler en Juliet bleven knikken, maar zagen er nog steeds volkomen verbijsterd uit.

Artemis zuchtte. 'De elf of kabouter zit aan bepaalde rituelen vast. Bepaalde heel specifieke rituelen mag ik wel zeggen. Die kunnen we gebruiken om er een op te sporen.'

Juliet stak haar hand op, ook al was ze zelf vier jaar ouder dan Artemis.

'Ja?'

'Nou, het geval wil, Artemis,' zei ze aarzelend, terwijl ze een pluk blond haar rond haar vinger draaide op een manier die de plaatselijke boerenpummels bijzonder aantrekkelijk vonden, 'dat over die kaboutertjes.'

Artemis fronste zijn wenkbrauwen. Dat was een slecht teken. 'Wat bedoel je, Juliet?'

'Nou, kabouters. Je weet toch dat die niet echt zijn, hè?'

Butler kreunde. Het was eigenlijk zijn schuld. Hij was er nooit toe gekomen zijn zus over de ins en outs van deze missie in te lichten.

Artemis keek hem verwijtend aan. 'Heeft Butler het hier dan nog niet met je over gehad?'

'Nee. Moest dat dan?'

'Ja, dat moest zeker. Misschien was hij bang dat je hem zou uitlachen.'

Butler kromp inelkaar. Dat was precies waar hij bang voor was. Juliet was de enige persoon ter wereld die hem met akelige regelmaat uitlachte. De meeste andere mensen deden dat één keer. Eén keer, meer niet.

Artemis schraapte zijn keel. 'Laten we er verder even van uitgaan dat het elfenvolk daadwerkelijk bestaat, en dat ik geen wauwelende imbeciel ben.'

Butler knikte zwakjes. Juliet was nog niet overtuigd.

'Goed dan. Zoals ik al zei: het Volk moet een speciaal ritueel volbrengen om zijn krachten opnieuw op te laden. Als ik het goed begrijp moeten ze een zaadje plukken van een oude eik in de bocht van een rivier. En dat moeten ze bij volle maan doen.'

Butlers ogen begonnen op te klaren. 'Dus we hoeven alleen maar—'

'De weersatellieten erop door te lopen, hetgeen ik al heb gedaan. Geloof het of niet, maar er zijn niet zo veel oude eiken meer – en dan ga ik ervan uit dat oud honderd jaar of meer betekent. Als je de bocht in de rivier en de volle maan erbij neemt, zijn er precies honderdnegenentwintig lokaties in dit land die in de gaten gehouden moeten worden.'

Butler grijnsde. Surveillance. Nu sprak de meester tenminste taal naar zijn hart.

'Er moeten voorbereidingen worden getroffen voor de aankomst van onze gast,' zei Artemis, terwijl hij een getypt A-viertje aan Juliet gaf. 'Deze veranderingen moeten in de kelder uitgevoerd worden. Zorg daarvoor, Juliet. Exact zoals het daar staat.'

'Oké, Arty.'

Artemis fronste zijn wenkbrauwen, maar heel lichtjes. Om redenen die hij zelf niet goed begreep vond hij het niet zo heel erg als Juliet hem bij het koosnaampje noemde waar zijn moeder hem altijd mee aansprak.

Butler krabde peinzend aan zijn kin.

Artemis zag het. 'Vraag?'

'Nou, kijk, Artemis. Die vleugelelf in Ho Chi Minh Stad...'

Artemis knikte. 'Ik weet het. Waarom hebben we háár niet gewoon ontvoerd?'

64

'Precies, meneer.'

'In de *Almanak van het Volk* van Chi Lun, een manuscript uit de zevende eeuw dat uit de verdwenen stad Sh'shamo is overgeleverd, staat: "Als een elf eenmaal sterke drank heeft gedronken met het Moddervolk" – dat zijn wij overigens – "zijn ze in de ogen van hun broers en zusters voor eeuwig dood." Er was dus geen enkele garantie dat die elf ook maar een onsje goud waard was. Nee, goede vriend, we hebben vers bloed nodig. Alles duidelijk zo?'

Butler knikte.

'Mooi. Dan zijn er nog een paar dingen die je voor onze uitstapjes bij maanlicht moet kopen.'

Butler bekeek het vel papier: basisvelduitrusting, een paar raadselachtige dingen, niet al te ingewikkeld, behalve...

'Een zonnebril? Voor 's nachts?'

Als Artemis glimlachte, zoals hij nu deed, verwachtte je bijna dat er vampiertanden uit zijn tandvlees te voorschijn zouden springen. 'Ja, Butler. Een zonnebril. Vertrouw me nou maar.'

En dat deed Butler dan ook. Onvoorwaardelijk.

Holly activeerde de verwarming in haar pak en klom tot vierduizend meter. De Kolibrievleugels waren super-de-luxe. Op de batterijdisplay waren vier rode staven te zien – meer dan genoeg voor een snel tripje over het vasteland van Europa en over de Britse eilanden. De voorschriften luidden natuurlijk dat je altijd, indien mogelijk, over water moest reizen, maar Holly kon de verleiding nooit weerstaan om in het voorbijgaan de besneeuwde top van de hoogste Alp aan te tikken.

Het pak beschermde Holly tegen de ergste weers-omstandigheden, maar ze kon de kou toch nog in haar botten

voelen trekken. De maan leek gigantisch groot vanaf deze hoogte – ze kon de kraters op het oppervlak met gemak zien. Vanavond was het een volmaakte bol – een magische volle maan. De afdeling Immigratie zou zijn handen vol krijgen als de duizenden elfen met heimwee naar de oppervlakte onweerstaanbaar naar boven getrokken werden. Een groot percentage zou het halen, en zou waarschijnlijk in hun algehele vrolijkheid voor heel wat herrie zorgen. De buitenste laag van de Aarde zat vol illegale tunnels, en het was onmogelijk die allemaal in de gaten te houden.

Holly volgde de Italiaanse kust tot aan Monaco, en vandaar vloog ze over de Alpen naar Frankrijk. Ze was dol op vliegen, net als alle elfen. Volgens het Boek hadden ze ooit zelf vleugels gehad, maar de evolutie had hun die kracht ontnomen. Allemaal, behalve de vleugelelfen. Eén stroming dacht dat het Volk van vliegende dinosauriërs afstamde. Misschien van de pterodactylus. Een groot deel van de skeletbouw van het bovenlichaam was hetzelfde. Deze theorie zou in elk geval het kleine botknobbeltje op beide schouderbladen verklaren.

Holly speelde nog even met het idee om naar Disneyland Parijs te gaan. De elfBI had daar een paar undercoveragenten gestationeerd, van wie de meeste bij het Sneeuwwitje-sprookje werkten. Het was een van de weinige plekken op Aarde waar het Volk zich ongemerkt kon vertonen. Maar als een toerist een foto van haar wist te maken en die op internet zou zetten, dan zou Root haar beslist haar badge afnemen. Met een zucht van spijt vloog ze over de regen van kleurig vuurwerk onder haar.

Toen Holly eenmaal boven het Kanaal was, ging ze laag vliegen, dansend over de witgekamde golven. Ze riep de dolfijnen, en die kwamen naar de oppervlakte en sprongen op

$$\text{☽ · ⚹ ☌ · ⊕ ◔ · ⊕ ⋔ · ⬡ · ⚰ ⸕}$$

uit het water om een eindje met haar mee te reizen. Ze kon aan de dolfijnen zien dat de zee erg vervuild was – hun huid was wit uitgeslagen en ze hadden rode zweren op hun rug. Ze glimlachte wel, maar haar hart brak. Het Moddervolk had heel wat te verantwoorden.

Eindelijk doemde de kust voor haar op. Het oude land – Ierland. Éiriú, het land waar de tijd was begonnen. De meest magische plek op Aarde. Het was dan ook hier geweest, tienduizend jaar geleden, dat het oude elfenras, de Dé Danann, tegen de demon Fomorians had gevochten, en daarbij de beroemde Reuzenweg met hun krachtige magische explosies hadden uitgehouwen. Hier stond ook de Lia Fáil, de rots in het midden van het universum, waar de elfenkoningen en later de mens Ard Rí waren gekroond. En het was ook hier, spijtig genoeg, dat het Moddervolk het meest op de toverkracht was afgestemd, en dat leidde weer tot een veel hoger Volk-waarnemingspercentage dan waar op Aarde ook. Gelukkig dacht de rest van de wereld dat de Ieren gek waren, een theorie die de Ieren zelf niet snel zouden rechtzetten. Ze hadden op een of andere manier in hun hoofd gezet dat elke elf, waar hij ook ging, een pot goud met zich mee sleepte. Het klopte inderdaad dat de elfBI een losgeldfonds had, vanwege de zeer riskante bezigheden van de officieren, maar daar had nog nooit een mens een klompje vanaf genomen. Dit weerhield de Ierse bevolking in het algemeen er echter niet van zich in de buurt van een regenboog op te houden in de hoop de boven-natuurlijke loterij te winnen.

Maar toch, als er één ras was waar het Volk genegenheid voor voelde, dan waren het wel de Ieren. Misschien kwam het door hun buitenissigheid, misschien door hun toewijding aan de *craic*, zoals ze het noemden. En als het Volk echt verwant was aan de mensen, zoals een andere theorie wilde, dan kon je er donder op zeggen dat het allemaal op Smaragdeiland begonnen was.

Holly riep een landkaart op haar polslokator op, en stelde die in op magische toplokaties. De beste plek zou natuurlijk Tara zijn, vlak bij de Lia Fáil, maar op een avond als deze zou elke traditionele elf met een pasje voor bovengronds daar rond de heilige plek aan het dansen zijn, dus die kon ze maar beter mijden.

Er was een tweederangsplek niet ver bij haar vandaan, een stukje terug van de zuidoostkust. Gemakkelijk vanuit de lucht te bereiken, maar afgelegen en te onguur voor de menselijke landrotten. Holly nam gas terug en daalde naar tachtig meter. Ze hupte over een stekelig, groenblijvend bos, en kwam uit op een in maanlicht badende wei. Een rivier sneed het veld als een kronkelende zilveren draad in tweeën, en daar, genesteld in de bocht van een meanderlus stond de trotse eik.

Holly keek op haar lokator of er vormen van leven te bespeuren waren. Toen ze had besloten dat de koe die twee weilanden verderop stond geen bedreiging vormde, zette ze haar motoren uit en daalde neer bij de voet van de indrukwekkende boom.

Vier maanden lang patrouilleren. Zelfs Butler, de doorgewinterde professional, begon een grondige afkeer te krijgen van de lange nachten vol vochtigheid en insectenbeten. Gelukkig was het niet elke avond volle maan.

Het ging altijd precies hetzelfde. Ze gingen doodstil in hun met folie beklede schuilplaats zitten, Butler controleerde

regelmatig zijn apparatuur en Artemis staarde zonder met zijn ogen te knipperen door de lens van de telescoop. Op avonden als deze leek de natuur oorverdovend in hun benauwde ruimte. Butler had zin om te fluiten, een praatje te maken, wat dan ook, om de onnatuurlijke stilte maar te verbreken. Maar Artemis' concentratie was onverbiddelijk. Hij stond geen verstoring of aandachtsverslapping toe. Dit was werk.

Vanavond waren ze in het zuidoosten. De meest ontoegankelijke plek tot nu toe. Butler had drie keer heen en weer gemoeten naar de jeep om de apparatuur over een hekje, een moeras en twee weilanden te sjouwen. Zijn laarzen en broek waren aan flarden. En nu moest hij in de schuilplaats zitten terwijl het slootwater het zitvlak van zijn broek doordrenkte. Artemis was er op een of andere manier in geslaagd smetteloos te blijven.

De schuilplaats was een ingenieus ontwerp – er was al interesse getoond in de productierechten, met name uit militaire hoek, maar Artemis had besloten het patent aan een multinational in sportartikelen te verkopen. Hij was gemaakt van een elastisch polymeerfolie op een frame van glasvezel met ontelbaar veel scharnieren. Het folie, vergelijkbaar met het folie dat de NASA gebruikte, hield de warmte binnen en zorgde er tegelijkertijd voor dat het gecamoufleerde materiaal geen warmte uitstraalde. Hierdoor zouden dieren die gevoelig waren voor warmte hun aanwezigheid niet opmerken. Door de vele scharniertjes kon de schuilplaats zich bijna als een vloeistof bewegen, en dus van elke holte waar hij in werd gegooid de vorm aannemen. Kant-en-klare schuilplaats en gunstige waarnemingspost. Je deed de zak met klittenband gewoon in een gat en trok aan het touwtje.

Maar met alle vernuft van de wereld werd de sfeer er nog niet beter op. Er zat Artemis iets niet lekker. Dat zag je aan het web van vroegtijdige rimpeltjes dat vanuit de hoek van zijn donkerblauwe ogen uitwaaierde.

Na een paar nachten van vergeefs wachten wist Butler genoeg moed te verzamelen om het te vragen...

'Artemis,' begon hij aarzelend, 'ik weet dat het mijn zaken niet zijn, maar ik weet dat er iets niet in de haak is. En als ik iets kan doen om te helpen...'

Artemis zei een paar tellen niets – in die tellen zag Butler het gezicht van een kleine jongen. De jongen die Artemis geweest had kunnen zijn.

'Het komt door mijn moeder, Butler,' zei hij ten slotte. 'Ik begin me af te vragen of ze ooit...'

Toen flitste het rode lampje van het naderingsalarm aan.


Holly hing de vleugels over een lage tak en deed het bandje van haar helm los om haar oren wat lucht te geven. Je moest voorzichtig zijn met elfenoren: een paar uur in de helm en ze begonnen al te schilferen. Ze masseerde de punten. Gelukkig was de huid niet droog. Dat kwam omdat ze die dagelijks met vochtinbrengende crème insmeerde, in tegenstelling tot mannelijke elfBI-officieren. Als die hun helm afzetten was het net of het begon te sneeuwen.

Holly bleef even staan om van het uitzicht te genieten. Ierland was zonder meer een heel mooi land. Zelfs het Moddervolk was niet in staat geweest dat kapot te maken. Nog niet in ieder geval. Nog een paar eeuwen, en dan hadden ze ook dat voor elkaar. De rivier kronkelde vriendelijk, als een zilveren slang, sissend waar het water over een stenige bedding

tuimelde. De eikenboom hing er krakend overheen, en zijn takken schuurden in de stevige bries tegen elkaar.

Aan het werk nu. Als ze daar eenmaal mee klaar was, kon ze nog de hele avond de toerist uithangen. Een zaadje. Ze had een zaadje nodig. Holly boog zich naar de grond en veegde de droge bladeren en takjes van de klei. Haar vingers sloten zich om een glad eikeltje. Fluitje van een cent, toch? Ze hoefde hem nu alleen nog maar ergens anders te planten en dan zouden haar krachten weer toestromen.

Butler controleerde de draagbare radar en zette het geluid zachter voor het geval de apparatuur hun positie zou verraden. De rode lijn ging met een gekmakende traagheid over het scherm, en toen... *Flits!* Een staande figuur naast de boom. Te klein voor een volwassene, de verkeerde proporties voor een kind. Hij keek naar Artemis en stak zijn duimen omhoog. Dat zou er een kunnen zijn.

Artemis knikte en zette de spiegelende zonnebril op. Butler volgde zijn voorbeeld en duwde snel het beschermkapje voor de nachtkijker van zijn wapen. Dit was geen gewoon pijltjes-geweer. Het was speciaal gemaakt voor een Keniaanse ivoorjager en had de reikwijdte en het snelvuurvermogen van een kalasjnikov. Butler had het voor een habbekrats gekocht van een ambtenaar, nadat de ivoorstroper terechtgesteld was.

Ze kropen muisstil de nacht in. De kleine gestalte vóór hen maakte een geval van zijn schouders los en tilde een het hele gezicht bedekkende helm van een hoofd dat beslist niet menselijk was. Butler sloeg de riem van zijn geweer twee keer om zijn pols en trok de kolf tegen zijn schouder. Hij activeerde de kijker en... midden op de rug van de figuur verscheen een rode stip. Artemis knikte en zijn bediende haalde de trekker over—

Ondanks een kans van één op een miljoen was dat precies het moment waarop de figuur zich naar de grond boog.

Boven Holly's hoofd zoefde iets, iets wat in het licht van de sterren glinsterde. Holly had genoeg veldervaring om te weten dat ze onder vuur lag, en onmiddellijk krulde ze haar elfenlijfje op tot een bal om een zo klein mogelijk doelwit te vormen.

Ze trok haar pistool en rolde naar de beschutting van de boomstam, haar hersenen pijnigend over de mogelijkheden. Wie zou er op haar schieten, en waarom?

Naast de boom stond iets te wachten. Iets wat grofweg de grootte van een berg had, maar heel wat mobieler was.

'Leuke erwtenschieter,' grijnsde de berg, en hij nam Holly's wapenhand in een vuist ter grootte van een koolraap. Holly wist haar vingers een nanoseconde voordat ze als brosse spaghetti zouden breken, los te wurmen.

'Ik neem aan dat je niet wilt overwegen je vreedzaam over te geven?' zei een kille stem achter haar.

Holly draaide zich om, haar ellebogen omhoog, klaar voor de strijd.

'Ah,' zuchtte de jongen. 'Niet dus.'

Holly zette haar beste moedige gezicht op. 'Achteruit, mens. Je weet niet wie je voor je hebt.'

De jongen lachte. 'Ik denk dat jij degene bent, elf, die niet op de hoogte is van de feiten.'

Elf? *Hij wist dat ze een elf was.*

'Ik heb toverkracht, modderworm. Genoeg om jou en je gorilla in varkensdrek te veranderen.'

De jongen kwam een stap dichterbij. 'Moedige woorden, dame, maar niettemin gelogen. Als je, zoals je zei, toverkracht had, dan zou je die ongetwijfeld al wel gebruikt hebben. Nee, ik denk dat je het te lang zonder het Ritueel hebt gedaan en dat je hier bent om je krachten weer op te laden.'

Holly was met stomheid geslagen. Hier stond een mens voor haar neus die heel nonchalant de heilige geheimen spuide. Dit was rampzalig. Catastrofaal. Dit kon het einde van generaties lange vrede betekenen. Als de mensen op de hoogte waren van subculturen onder elfen, dan was het slechts een kwestie van tijd voor de soorten elkaar de oorlog verklaarden. Ze moest iets doen, en ze had nog maar één wapen in haar arsenaal.

De mesmer is de laagste vorm van toverkunst en je hebt er maar een heel klein beetje kracht voor nodig. Er zijn zelfs mensen die er talent voor hebben. Zelfs de meest krachteloze elf is in staat elk levend menselijk wezen volslagen kierewiet te maken.

Holly riep het laatste piezeltje toverkracht van onder uit haar schedel op. 'Mens,' zei ze met gedragen stem, die plotseling galmde van de bastonen. 'Jouw wil is de mijne.'

Artemis glimlachte, veilig achter zijn spiegelende bril. 'Dat durf ik te betwijfelen,' zei hij, en hij knikte kortaf.

Holly voelde hoe de pijl het verstevigde materiaal van haar pak doorboorde, waar hij zijn lading curare en op succinylcholine chloride gebaseerd kalmeringsmiddel in haar schouder deponeerde. De wereld loste zich ogenblikkelijk op in een reeks op en neer dansende kleurige bellen, en hoe Holly ook probeerde, ze leek maar één gedachte te kunnen vasthouden, en die gedachte was: *hoe wisten ze dat?* – hij wervelde door haar hoofd terwijl ze in bewusteloosheid

wegzakte. *Hoe wisten ze dat? Hoe wisten ze dat? Hoe wisten ze...*

Artemis zag de pijn in de ogen van het wezentje toen de holle naald in haar lichaam drong. En heel even had hij een slecht voorgevoel. Een vrouw. Dat had hij niet verwacht. Een vrouw, net als Juliet, of moeder. Toen ging dat moment voorbij en was hij zichzelf weer.

'Goed schot,' zei hij, en hij boog zich voorover om hun gevangene goed te kunnen bekijken. Inderdaad beslist een meisje. Nog knap ook. Op een spitse manier.

'Meneer?'

'Hm?'

Butler wees naar de helm van het wezentje. Die lag half begraven in een berg bladeren waar de elf hem had laten vallen. Uit de bol kwam een zoemend geluid.

Artemis pakte het geval bij de riempjes op, op zoek naar waar het geluid vandaan kwam.

'Aha, daar hebben we 'm.' Hij plukte de camera uit zijn houder, en lette daarbij goed op dat de lens van hem af wees. 'Elfentechnologie. Heel indrukwekkend,' mompelde hij terwijl hij de batterij uit de gleuf wipte. De camera piepte en ging toen uit. 'Loopt op kernenergie, als ik me niet vergis. We moeten zorgen dat we onze tegenstanders niet onderschatten.'

Butler knikte en liet hun gevangene in een grote plunjezak glijden. Nog iets wat over twee velden, een moeras en een hekje moest worden gesleept.

74

# Vermist

Commandant Root lurkte aan een bijzonder smerige zwamsigaar. Diverse personen van het Beveiligings-team waren in de shuttle bijna buiten westen geraakt. Zelfs de stank van de vastgebonden trol was er niks bij. Natuurlijk zei niemand er wat van, aangezien hun baas prikkelbaarder was dan een ontstoken, overrijpe steenpuist.

Foaly vond het daarentegen heerlijk om tegen zijn meerdere in te gaan. 'Die ranzige stokkies van u komen er hier niet in, commandant!' schetterde hij, zodra Root terug was bij de controlekamer. 'De computers kunnen niet tegen rook!'

Root keek boos, omdat hij zeker wist dat Foaly uit zijn nek kletste. Toch was de commandant niet bereid om midden in een alarm een computercrash te riskeren, en dus doofde hij zijn sigaar in de koffiekop van een passerende gremlin.

'Goed, Foaly, wat heeft dit zogenaamde alarm te betekenen? Dit keer kan het maar beter terecht zijn!'

De centaur had de neiging volledig overstuur te raken van onbenulligheden. Hij was zelfs een keer naar de Militaire Opsporingseenheid gegaan, alleen maar omdat zijn menselijke satellietstations uit waren.

'Reken maar dat het terecht is,' verzekerde Foaly hem. 'Erg, kan ik beter zeggen. Heel erg.'

Root voelde dat zijn maagzweer als een vulkaan begon te borrelen. 'Hoe erg?'

Foaly riep Ierland op de Eurosat op. 'We zijn het contact met kapitein Short kwijt.'

'Waarom verbaast me dat nou niks?' gromde Root, terwijl hij zijn handen tegen zijn gezicht legde.

'We hadden de hele weg over de Alpen contact met haar.'

'De Alpen? Heeft ze een route over land genomen?'

Foaly knikte. 'Ik weet dat het tegen de regels is, maar iedereen doet het.'

De commandant was het met tegenzin met hem eens. Wie kon de verleiding van zo'n uitzicht nou weerstaan? Als aankomend soldaatje was hijzelf voor precies die overtreding ter verantwoording geroepen. 'Oké. Ga verder. Wanneer zijn we haar kwijtgeraakt?'

Foaly opende een videocassette op het scherm. 'Dit is de opname van Holly's helmcamera. Hier zitten we boven Disneyland Parijs...' De centaur drukte op de knop om versneld door te spoelen. 'Nu dolfijnen, bla bla bla. De Ierse kust. Nog steeds niets aan de hand. Kijk, haar lokator komt in beeld. Kapitein Short scant het gebied op magische toplokaties. Lokatie zevenenvijftig licht rood op, dus daar gaat ze heen.'

'Waarom niet naar Tara?'

Foaly snoof. 'Tara? Iedere elfenhippie van het noordelijk halfrond is daar bij volle maan rond de Lia Fáil aan het dansen. Daar worden zo veel schilden gedragen dat het lijkt of alles onder water staat.'

'Oké,' gromde Root tussen zijn knarsende tanden door. 'Ga nou maar verder, alsjeblieft.'

'Goed. Pas op dat uw oren niet in de knoop raken.' Foaly

spoelde de band een paar minuten vooruit. 'Nu komt het interessante gedeelte... Mooie soepele landing, ze hangt de vleugels op, zet de helm af—'

'Tegen de regels,' onderbrak Root hem. 'Elfʙɪ-officieren mogen nooit ofte nimmer—'

'—bovengronds hun hoofddeksel afzetten, tenzij het genoemde hoofddeksel defect is,' maakte Foaly zijn zin af. 'Ja, commandant, we weten allemaal wat er in het handboek staat. Maar wilt u beweren dat u na een paar uur in de lucht nooit stiekem frisse lucht hebt gehapt?'

'Nee,' gaf Root toe. 'Wie ben jij? Haar beschermengel of zo? Ter zake nu! Het belangrijke gedeelte.'

Foaly meesmuilde achter zijn hand. Roots bloeddruk opjagen was een van de weinige voordelen van zijn werk. Niemand anders durfde dat. Dat was omdat iedereen vervangbaar was, maar Foaly niet. Hij had het systeem van de grond af opgebouwd, en als iemand het zelfs maar probeerde op te starten, zou een geheim virus het zo doen crashen dat hun puntige oren ervan zouden tuiten.

'Het belangrijke gedeelte. Hier komt het. Kijk. Plotseling laat Holly de helm vallen. Die moet met de lens naar beneden op de grond terecht zijn gekomen, want we hebben geen beeld meer. We hebben nog wel geluid, dus dat zal ik even laten horen.' Foaly zette het audiosignaal aan, waarbij hij de achtergrondgeluiden wegfilterde. 'Geen geweldige kwaliteit. De microfoon zit in de camera. Die lag dus ook in de modder.'

'Leuke erwtenschieter,' zei een stem. Zonder twijfel een mens. Laag ook. En laag betekende meestal groot.

Root trok een wenkbrauw op. 'Erwtenschieter?'

'Jargon voor pistool.'

77

'O.' Toen drong het belang van die eenvoudige opmerking tot hem door. 'Ze heeft haar wapen getrokken.'

'Wacht maar even. Het wordt nog erger.'

'Ik neem aan dat je niet wilt overwegen je vreedzaam over te geven?' zei een tweede stem. Alleen al het luisteren bezorgde de commandant de rillingen over het lijf. 'Ah,' ging de stem verder. 'Niet dus.'

'Dit is heel erg,' zei Root met een voor zijn doen heel bleek gezicht. 'Ik krijg het gevoel dat dit een val is. Die twee kerels stonden te wachten. Hoe kan dat?'

Toen klonk Holly's stem door de luidspreker, opmerkelijk brutaal voor zo'n gevaarlijke situatie. De commandant zuchtte. Ze leefde in ieder geval nog. Er kwam echter nog meer slecht nieuws toen de partijen wederzijds bedreigingen begonnen te uiten en de tweede mens een ongebruikelijke kennis van elfenzaken tentoonspreidde.

'Hij weet over het Ritueel!'

'Nu komt het ergste gedeelte.'

Roots mond zakte open. 'Het érgste gedeelte?'

Weer Holly's stem. Dit keer doorspekt met de mesmer.

'Nu heeft ze ze,' kraaide Root.

Maar nee, toch niet. De mesmer bleek niet alleen niets uit te richten, het mysterieuze stel leek het nog leuk te vinden ook.

'Dat was het wat Holly betreft,' merkte Foaly op. 'Een van de Moddermensen rommelt een tijdje met de camera en dan zijn we alle contact kwijt.'

Root wreef over de rimpels tussen zijn ogen. 'Niet veel om mee aan de slag te gaan. Geen beeldmateriaal, niet eens een naam. We kunnen niet honderd procent zeker weten dat we een probleem hebben.'

'Wilt u bewijs?' vroeg Foaly, die de band terugspoelde. 'Dan zal ik u bewijs geven.' Hij zette de beschikbare video aan. 'Bekijk dit maar eens. Ik zet hem heel langzaam. Eén beeldje per seconde.'

Root boog zich dicht naar het scherm toe, zo dicht dat hij de pixels kon zien.

'Kapitein Short gaat landen. Ze zet haar helm af. Ze bukt zich, waarschijnlijk om een eikeltje te pakken, en dan... daar!' Foaly sloeg op de pauzeknop, waardoor het beeld helemaal stil bleef staan. 'Ziet u iets ongewoons?'

De commandant voelde zijn maagzweer naar de hoogste versnelling schieten. In de rechterbovenhoek van het beeld was iets verschenen. Op het eerste gezicht leek het een bundel licht, maar licht van wat, of waarvandaan weerkaatst?

'Kun je dat uitvergroten?'

'Natuurlijk.'

Foaly ging naar het betreffende stukje en vergrootte het met 400 procent. Het licht verspreidde zich en vulde nu het hele scherm.

'O nee,' fluisterde Root.

Op de monitor voor hen was, in bevroren zwevende toestand, een injectiepijltje te zien. Hier was geen twijfel mogelijk: kapitein Holly Short was vermist in de strijd. Hoogstwaarschijnlijk dood, maar ze werd op z'n minst gevangen gehouden door een vijandige macht.

'Zeg alsjeblieft dat we de lokator nog hebben.'

'Ja. Een krachtig signaal. Hij beweegt zich met tachtig kilometer per uur naar het noorden.'

Root was even stil – hij was zijn strategie aan het uitdenken. 'Sla groot alarm, licht de Beveiliging van hun bedden en laat ze

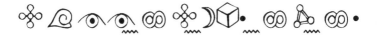

79

hierheen komen. Bereid ze voor op een oppervlaktelancering. Ik wil de hele militaire staf en een paar techneuten. Jij ook, Foaly. Misschien moeten we de tijd wel stilzetten.'

'Begrepen, commandant. Wilt u Opsporing erbij hebben?'

Root knikte. 'Reken maar.'

'Ik zal kapitein Aderlijk roepen. Hij staat boven aan onze lijst.'

'O nee,' zei Root. 'Voor een klus als deze hebben we onze allerbeste krachten nodig. En dat ben ik. Ik ga mezelf reactiveren.'

Foaly was zo stomverbaasd dat hij niet eens een slimme opmerking wist uit te brengen. 'U bent... u bent...'

'Ja, Foaly. Doe maar niet zo verbaasd. Ik heb meer succesvolle operaties in mijn zak dan welke officier uit de hele geschiedenis ook. Bovendien heb ik mijn basisopleiding in Ierland gedaan. Nog in de tijd van de hoge hoed en de knuppel.'

'Ja, maar dat was vijfhonderd jaar geleden, en toen was u ook al geen jonge blom meer, om het zacht uit te drukken.'

Root glimlachte gevaarlijk. 'Maak je geen zorgen, Foaly. Ik loop nog steeds op volle kracht. En mijn leeftijd compenseer ik wel met een ontzettend groot wapen. Kom, maak een capsule gereed. Ik vertrek met de volgende vuurstoot.'

Foaly deed wat hem gezegd was, zonder ook maar één hatelijke opmerking te maken. Als de commandant die glinstering in zijn ogen kreeg, ging je als de donder aan de slag en hield je je mond. Maar Foaly's stilzwijgende gehoorzaamheid had nog een andere reden. Het was net bij hem opgekomen dat Holly wel eens echt in gevaar kon verkeren. Centaurs hebben niet veel vrienden, en Foaly was bang dat hij een van de weinige die hij had zou kwijtraken.

Artemis had wel wat technologische voorsprong verwacht, maar niets in de trant van de schat aan elfenhardware die lag uitgestald op het dashboard van de terreinwagen.

'Indrukwekkend,' mompelde hij. 'We zouden deze missie nu meteen kunnen afbreken en dan zouden we nog een fortuin aan patenten kunnen verdienen.'

Artemis ging met een handformaat scanner over de polsband van de bewusteloze elf. Toen voerde hij de elfentekens in zijn PowerBook-vertaalprogramma in.

'Dit is een soort lokator. Haar elfenkameraadjes zijn ons nu ongetwijfeld aan het opsporen.'

Butler slikte. 'Op dit moment, meneer?'

'Dat lijkt me. En anders zijn ze in ieder geval de lokator aan het opsporen— '

Artemis hield plotseling zijn mond, en toen de elektriciteit in zijn schedel een schitterende inval deed ontbranden, werd zijn blik onscherp.

'Butler?'

De bediende voelde dat zijn pols sneller ging slaan. Die toon kende hij. Er ging iets gebeuren. 'Ja, Artemis?'

'Die Japanse walvisvaarder. Dat schip dat door de havenautoriteiten in beslag is genomen. Ligt dat nog steeds in de haven?'

Butler knikte. 'Ja. Ik geloof van wel.'

Artemis draaide het bandje van de lokator om zijn wijsvinger. 'Mooi. Rijd ons erheen. Volgens mij is het tijd dat we onze kleine vriendjes eens precies laten weten wie ze voor zich hebben.'


Root keurde zijn eigen reactivering met opmerkelijke snelheid

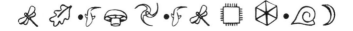

goed – hetgeen heel ongebruikelijk was voor het elfBI-kader. Meestal duurde het maanden, inclusief een paar geestdodend saaie vergaderingen, voor een aanvraag bij het Opsporingsteam werd goedgekeurd. Gelukkig had Root een beetje invloed bij de generaal.

Het voelde prettig om weer een velduniform te dragen, en Root slaagde er zelfs in zichzelf ervan te overtuigen dat de overall niet strakker om zijn middel zat dan vroeger. De bolling, zo redeneerde hij, werd veroorzaakt door alle nieuwe apparatuur die ze in die dingen propten. Persoonlijk had Root geen tijd voor leuke nieuwe snufjes. De enige uitrusting waar de commandant in geïnteresseerd was, waren de vleugels op zijn rug en de veelfasige, watergekoelde, driedubbelloops revolver die aan zijn heup zat – het krachtigste handwapen onder de wereld. Oud, dat wel, maar Root had er wel een stuk of tien vuurgevechten mee doorstaan en het gaf hem het gevoel dat hij weer een hoofdofficier was.

De schacht die het dichtst bij de plek waar Holly zich bevond uitkwam, was de E1: Tara. Niet bepaald een ideale lokatie voor een geheime missie, maar met nog nauwelijks twee maanuren te gaan, was er geen tijd voor een bovengrondse reis. Als ze deze ellende nog voor zonsopgang uitgezocht wilden hebben, was snelheid geboden. Hij eiste de E1-shuttle voor zijn team op, daarmee een reisgezelschap verdringend dat naar het scheen al twee jaar stond te wachten.

'Vette pech,' gromde Root tegen de reisagente. 'En erger nog: ik annuleer alle niet-noodzakelijke vluchten tot deze crisis voorbij is.'

'En wanneer mag dat dan wel zijn?' knarste de woedende gnoom, terwijl ze met een opschrijfboekje zwaaide alsof ze

bereid was een of andere klacht in te dienen.

Root spuugde de peuk van zijn sigaar uit en plette hem uitvoerig onder de hak van zijn laars. De symboliek droop ervan af. 'De schachten gaan weer open, mevrouw, als ík daar zin in heb,' gromde hij. 'En als u en uw fluorescerende uniform niet als de donder uit de weg gaan, dan trek ik uw werkvergunning in en laat ik u in de cel gooien wegens het hinderen van een elfɪʙɪ-officier.'

De reisagente schrompelde voor zijn ogen ineen en gleed weer in de rij, wensend dat haar uniform niet zo knalroze was.

Foaly stond bij de capsule te wachten. Ook al was dit een heel ernstig moment, hij moest toch even geamuseerd hinniken toen hij Roots buik in de strakke overall zag blubberen, al was het maar een beetje.

'Weet u het zeker, commandant? Meestal staan we maar één passagier per capsule toe.'

'Wat bedoel je?' grauwde Root. 'Er is maar één—' Toen zag hij dat Foaly betekenisvol naar zijn buik keek. 'O. Haha. Heel leuk. Hou je in, Foaly. Ik heb zo mijn grenzen, moet je weten.'

Maar het was een loos dreigement en dat wisten ze allebei heel goed. Foaly had niet alleen hun communicatienetwerk van begin af aan gebouwd, hij was ook een pionier op het gebied van vuurstootvoorspelling. Zonder hem kon de menselijke technologie die van de elfen met gemak inhalen.

Root gespte zichzelf in de capsule vast. Voor de commandant geen voertuigen van een halve eeuw oud. Dit schatje kwam zo van de montageband. Een en al blinkend zilver, compleet met de nieuwe getande vinstabilisatoren die de magmastromen automatisch zouden moeten lezen. Een uitvinding van Foaly, natuurlijk. Ongeveer een eeuw lang waren zijn capsule-

ontwerpen op het futuristische af geweest – met een heleboel neon en rubber. Sinds kort waren zijn voorkeuren echter wat ouderwetser geworden en had hij die nieuwe fratsen vervangen door walnotenhouten dashboarden en lederen bekleding. Root vond die ouderwetse aankleding vreemd aangenaam.

Hij sloeg zijn vingers om de stuurknuppels en realiseerde zich plotseling dat hij al in geen tijden meer in zo'n flitsende kar had gezeten. Foaly merkte dat gevoel van onbehagen.

'Maakt u zich geen zorgen, chef,' zei hij zonder het gebruikelijke cynisme. 'Het is net als op een eenhoorn rijden. Dat verleer je nooit.'

Root kreunde, niet overtuigd. 'Laten we maar van start gaan,' mompelde hij, 'voor ik me bedenk.'

Foaly trok de deur dicht, tot de zuigrand zich hechtte en de deur met een pneumatisch gesis afsloot. Roots gezicht leek door de ruit van kwarts een beetje groenig. Hij zag er niet meer zo eng uit. Integendeel zelfs.

Artemis voerde wat veldchirurgie op de elfenlokator uit. Het viel niet mee om iets aan de verhoudingen te veranderen zonder het mechanisme te vernielen. De technologieën waren beslist niet compatible – het was net of je met een voorhamer een openhartoperatie uitvoerde.

Het begon al toen hij dat ellendige ding open probeerde te krijgen. De schroefkoppen trotseerden zowel een schroevendraaier voor platte schroeven als een kruiskop-schroevendraaier. Zelfs Artemis' uitgebreide set Imbus-sleutels wist geen vat te krijgen op de piepkleine groefjes. Denk futuristisch, zei Artemis tegen zichzelf, denk in termen van geavanceerde technologie.

Na zwijgend even te hebben nagedacht wist hij het. Magnetische bouten. Eigenlijk heel vanzelfsprekend. Maar hoe moest je achter in een terreinwagen een draaiend magnetisch veld fabriceren? Onmogelijk. Ze moesten de schroeven handmatig met een gewone magneet ronddraaien, er zat niets anders op.

Artemis viste de kleine magneet uit zijn vakje in de gereedschapskist en bevestigde de polen aan de piepkleine schroefjes. De negatieve kant liet ze een klein beetje wiebelen. Dat was net genoeg, zodat Artemis met een minuscuul tangetje wat grip kreeg, en al snel lag het paneeltje van de lokator in losse onderdelen voor hem.

Het elektronisch circuit was pietepeuterig klein. En geen soldeersel te bekennen – ze moesten een andere vorm van hechtmiddel gebruiken. Als hij nou tijd had, kon hij de werking van dit apparaat misschien wel ontrafelen, maar vooralsnog zou hij moeten improviseren. Hij zou op de onoplettendheid van anderen moeten vertrouwen. En als het Volk ook maar enigszins op de mens leek, dan zagen ze wat ze wilden zien.

Artemis hield de voorkant van de lokator in het licht van de auto omhoog. Het was doorschijnend. Enigszins gepolariseerd, maar goed genoeg. Hij duwde een kluwen heel dunne glimmende draadjes opzij en stak een knoopsgatcamera in die ruimte. Hij zette de zender, ter grootte van een erwt, met een druppeltje siliconenkit vast. Ruw, maar effectief. Hopelijk.

De magnetische schroeven weigerden zich zonder het juiste stuk gereedschap weer in hun schroefdraad te laten dwingen, dus zag Artemis zich genoodzaakt ook die vast te lijmen. Het werd een zootje, maar het voldeed wel, mits de lokator niet van al te dichtbij werd bekeken. En als dat nou eens wel gebeurde?

Nou, dan zou hij een voorsprong verliezen waarvan hij sowieso al niet gedacht had dat hij die zou krijgen.

Butler deed zijn groot licht uit toen ze de bebouwde kom binnenreden.

'Daar zijn de havens, Artemis,' zei hij over zijn schouder. 'Er zal wel ergens Douane- en Accijnspersoneel rondlopen.'

Artemis knikte. Dat lag voor de hand. De haven was een bloeiende ader van illegale activiteit. Meer dan vijftig procent van de smokkelwaar van dit land werd aan dit stuk van nog geen kilometer lang aan wal gebracht.

'Een afleidingsmanoeuvre dan maar, Butler. Ik heb maar twee minuten nodig, meer niet.'

De bediende knikte bedachtzaam. 'Wat we altijd doen?'

'Ik zou niet weten waarom niet. Beul jezelf maar af... of doe maar liever niet.'

Artemis knipperde met zijn ogen. Dat was nu al zijn tweede grap in korte tijd, en de eerste grap die hij hardop uitsprak. Hij moest oppassen. Dit was niet het moment voor onnozele grapjes.

De havenarbeiders stonden een sjekkie te rollen. Dat viel niet mee met vingers ter grootte van een ijzeren staaf, maar het lukte. En wat maakte het uit als er een sliertje bruine tabak op de ruwe stenen viel? Ze kochten de pakjes per slof bij een mannetje dat niet de moeite nam om accijns op zijn prijzen te berekenen.

Butler slenterde naar de mannen toe, zijn ogen overschaduwd door een bivakmuts.

'Koud vanavond,' zei hij tegen het groepje.

Niemand gaf antwoord – politieagenten had je in alle soorten en maten.

De grote vreemdeling hield vol. 'Als het zo ijskoud is als vanavond kun je maar beter werken dan een beetje rondhangen.'

Een van de arbeiders, een beetje simpel van geest, knikte instemmend, tegen wil en dank. Een maat porde een elleboog tussen zijn ribben.

'Maar ja,' ging de nieuwkomer verder, 'jullie zijn vast van die watjes die nog nooit een dag in hun leven echt gewerkt hebben.'

Weer kwam er geen antwoord, maar dit keer was dat omdat de arbeiders hun mond van verbazing open lieten hangen.

'Gut, wat een zielig stelletje zijn jullie,' ging Butler opgewekt verder. 'O, tijdens een hongersnood zouden jullie vast voor echte kerels zijn doorgegaan, maar voorlopig zijn jullie niet meer dan een stelletje mietjes.'

'Arrrgh,' zei een van de dokwerkers. Meer wist hij niet uit te brengen.

Butler trok een wenkbrauw op. 'Argh? Zielig én onverstaanbaar. Leuke combinatie. Zal je moeder trots op zijn.'

De vreemdeling was een heilige grens gepasseerd – hij was over hun moeder begonnen. Nu zou hij in elkaar getimmerd worden, daar viel niet meer aan te ontkomen, zelfs het feit dat hij overduidelijk een sul was kon daar niets aan veranderen. Zij het dan een sul met een grote woordenschat.

De mannen trapten hun sigaret uit en stelden zich langzaam in een halve cirkel op. Het was zes tegen één. Je móest wel medelijden met ze hebben, maar Butler was nog niet klaar.

'Voor jullie een vinger naar me uitsteken, dames: niet krabben, niet spugen en niet bij mammie klikken.'

Dat was de druppel. Ze begonnen te brullen en gingen als één

man tot de aanval over. Als ze in het ogenblik voor ze hem te lijf gingen ook maar een beetje op hun tegenstander hadden gelet, hadden ze misschien gemerkt dat hij zijn gewicht verplaatste om zijn zwaartepunt omlaag te brengen. Dan hadden ze misschien ook gezien dat de handen die hij uit zijn zakken haalde ongeveer de grootte van een schop hadden. Maar niemand lette op Butler – ze hadden het te druk met naar hun maten kijken om zich ervan te vergewissen dat ze niet in hun eentje tot de aanval overgingen.

Met een afleidingsmanoeuvre zit het zo: die moet afleiden. Groots. Ruw. Helemaal Butlers stijl niet. Hij had deze heren veel liever van vijfhonderd meter afstand met een pijltjesgeweer uitgeschakeld. En als dat niet lukte, als lichamelijk contact absoluut noodzakelijk was, dan zou hij gekozen hebben voor een tactiek van een reeks duimstoten tegen de zenuwbundel onder in de nek – fluisterstil. Maar dan zou het doel van de operatie verloren zijn gegaan.

En dus ging Butler tegen zijn opleiding in – hij schreeuwde als een demon en gebruikte de meest ordinaire krijgs-handelingen. Ordinair misschien, maar dat wil niet zeggen dat ze niet effectief waren. Misschien dat een Shao Lin-priester een paar van de meer overdreven bewegingen had kunnen zien aankomen, maar deze mannen waren niet bepaald ervaren tegenstanders. Eerlijk gezegd waren ze niet eens helemaal nuchter.

Butler vloerde de eerste met een molenwiekstoot. De volgende twee werden met hun hoofd tegen elkaar geslagen, als in een stripverhaal. De vierde kreeg, tot Butlers eeuwige schande, een schop met spineffect. Maar de meest opzichtige handeling werd voor de laatste twee bewaard. De bediende

88

greep hen bij de kraag van hun jekker, rolde op zijn rug en smeet ze de haven van Dublin in. Enorm gespetter, een heleboel gejammer. Geweldig.

Vanuit de zwarte schaduw van een vrachtcontainer doken twee koplampen op, en langs de kade kwam een arrestantenwagen met gierende remmen tot stilstand. Zoals te verwachten viel was er een Douane- en Accijnsteam aan het patrouilleren. Butler grijnsde grimmig tevreden en dook de hoek om. Hij was al lang weg voordat de agenten hun badge hadden laten zien of een onderzoek waren begonnen. Niet dat hun ondervragingen veel zouden opleveren. 'Zo groot als een huis' kon je toch nauwelijks een adequate beschrijving noemen aan de hand waarvan ze hem zouden kunnen vinden.

Toen Butler weer bij de auto kwam, was Artemis al terug van zijn missie. 'Goed gedaan, vriend,' merkte hij op. 'Hoewel ik zeker weet dat je sensei in de gevechtskunst zich in zijn graf omdraait. Een schop met spineffect? Hoe kón je!'

Butler beet op zijn tong en reed de terreinwagen achteruit, van de houten steiger vandaan. Toen ze over het viaduct reden, kon hij de verleiding niet weerstaan en keek hij even omlaag naar de chaos die hij op zijn geweten had. De overheidsdienaren waren bezig een drijfnatte havenarbeider uit het vervuilde water te hijsen.

Artemis had deze afleidingsmanoeuvre ergens voor nodig gehad, maar Butler wist dat het geen zin had te vragen waarvoor. Zijn werkgever vertelde zijn plannen pas als hij vond dat de tijd daar rijp voor was. En als Artemis Fowl vond dat de tijd rijp was, dan was dat meestal ook zo.

Root kwam helemaal trillend uit de capsule. Hij kon zich niet

herinneren dat het in zijn tijd ook zo was geweest, hoewel hij moest toegeven dat het indertijd waarschijnlijk nog veel erger was geweest. In de tijd van de knots waren er geen hippe pakjes van polymeer geweest, geen stuwraketten, en al helemaal geen externe monitoren. Toen ging het alleen om intuïtie en een vleugje magie. Op een bepaalde manier gaf Root de voorkeur aan de ouderwetse manier. De wetenschap wist alles van zijn betovering te ontdoen.

Hij liep wankelend de tunnel door, de terminal in. Aangezien Tara voorkeursbestemming nummer één was, had het een heuse passagiershal. Alleen al van Haven-Stad arriveerden hier zes shuttles per week. Niet op de vuurstoten natuurlijk. Betalende toeristen hielden er niet van zo erg door elkaar geschud te worden, tenzij ze natuurlijk een illegaal reisje naar Disneyland maakten.

Het elfenfort zat bomvol met vollemaansgasten die klaagden over de uitgevallen shuttles. Een vleugelelf verschool zich achter haar balie, bestormd door boze gremlins. 'Het heeft geen enkele zin mij te beheksen,' piepte de elf, 'daar is de elf die jullie moeten hebben.' Ze wees met een trillende groene vinger naar de commandant, die op haar af liep. De menigte gremlins wilde zich op Root storten, maar toen ze het driedubbelloops wapen op zijn heup zagen, bedachten ze zich.

Root greep de microfoon van het bureau en trok die zo ver uit als het snoer toestond.

'Luisteren allemaal!' gromde hij, en zijn knarsende stem echode door de terminal. 'Hier spreekt commandant Root van de elfBI. We hebben bovengronds met een ernstige situatie te maken, en ik zou graag de medewerking van alle burgers krijgen. Allereerst wil ik dat jullie stoppen met kakelen zodat ik mezelf tenminste kan horen nadenken!'

Root wachtte even, om er zeker van te zijn dat zijn verzoek werd ingewilligd. Dat gebeurde.

'Ten tweede. Ik wil dat jullie allemaal, en dat geldt ook voor die krijsende kinderen, op de bankjes gaan zitten tot ik ben vertrokken. Daarna mogen jullie verdergaan met mopperen of je volproppen, of waar burgers zich verder ook mee bezighouden.'

Niemand had Root ooit op politiek correct gedrag kunnen betrappen. En het zat er ook niet in dat dat ooit zou gebeuren.

'En ik wil dat degene die hier de leiding heeft naar me toe komt. Nu meteen!'

Root gooide de microfoon op de balie. Tegen alle trommelvliezen in het hele gebouw kraste het gegalm van de fluitende feedback. In een fractie van een seconde dook er een kruising van een elf en een kobold buiten adem naast zijn elleboog op.

'Is er iets wat we kunnen doen, commandant?'

Root knikte, en draaide een dikke sigaar rond in het gat onder zijn neus. 'Ik wil dat je recht door dit gebouw een tunnel graaft. Ik wil niet door de douane of de immigratiedienst gestoord worden. Zodra mijn mannen hier zijn, moet je beneden iedereen in het geweer roepen.'

De directeur van de shuttlehaven slikte. 'Iedereen?'

'Ja. Dus ook het terminalpersoneel. En jullie moeten alles meenemen wat je kunt dragen. Volledige evacuatie.' Hij wachtte even en keek boos in de paarsige ogen van de directeur. 'Dit is géén oefening.'

'U bedoelt—'

'Ja,' zei Root, terwijl hij de loopplank verder af liep. 'Het

Moddervolk heeft een openlijk vijandige daad begaan. Niemand weet waar dit toe zal leiden.'

De elf/kobold-combi keek toe hoe Root in een wolk van sigarenrook verdween. Een openlijk vijandige daad? Dat kon oorlog betekenen. Hij ramde het nummer van zijn boekhouder op zijn mobiele telefoon in.

'Bast? Ja. Met Nimbus. Ik wil dat je al mijn aandelen in de shuttlehaven verkoopt. Ja, allemaal. Ik heb het gevoel dat de prijs elk moment flink kan dalen.'

Kapitein Holly Short had het gevoel alsof haar hersenen door een pompzuiger door haar oor naar buiten werden getrokken. Ze probeerde erachter te komen wat in 's hemelsnaam zo'n pijn kon hebben veroorzaakt, maar voorlopig functioneerde haar geheugen niet. Ademen en liggen, meer zat er nog niet in.

Hoog tijd om eens te proberen of ze nog kon praten. Een kort en toepasselijk woord. Help, moest het worden. Dat ging ze proberen. Ze haalde trillend adem en deed haar mond open.

'Mummlp,' zeiden haar trouweloze lippen. Dat was niks. Onverstaanbaar, zelfs naar de begrippen van een dronken gnoom.

Wat was hier aan de hand? Ze lag plat op haar rug en ze had niet meer kracht in haar lichaam dan een vochtige tunnelwortel. Wat zouden ze met haar hebben gedaan? Holly concentreerde zich, waarbij ze gevaarlijk dicht in de buurt van gekmakende pijn kwam.

De trol? Kwam het daardoor? Had de trol haar in dat restaurant mishandeld? Dat zou een boel verklaren. Maar nee, dat was het niet. Ze meende zich iets over het oude land te herinneren. En over het Ritueel. En er sneed iets in haar enkel.

92

'Hallo?'

Een stem. Niet die van haar. Niet eens die van een elf.

'O, ben je wakker?'

Een van de Europese talen. Latijn? Nee, Engels. Was ze dan in Engeland?

'Ik was bang dat die pijl je misschien gedood had. De ingewanden van buitenaardse wezens zijn anders dan die van ons. Dat heb ik op televisie gezien.'

Wartaal. De ingewanden van buitenaardse wezens? Waar had dat wezen het over?

'Je ziet er cool uit. Net Muchacho Maria, dat is een Mexicaanse lilliputterworstelaar.

Holly kreunde. Er was iets mis met haar spraakvermogen. Hoog tijd dat ze erachter kwam met wat voor gekte ze hier nou precies te maken had. Holly concentreerde al haar kracht op de voorkant van haar hoofd, en ze trok één oog open. Ze deed het bijna onmiddellijk weer dicht. Zo te zien stond er een reusachtige blonde vlieg naar haar te kijken.

'Wees maar niet bang,' zei de vlieg. 'Het is maar een zonnebril.'

Holly deed nu allebei haar ogen open. Het wezen tikte tegen een zilveren oog. Nee, niet een oog. Een lens. Een spiegelende lens. Net als de lenzen die die twee andere... En nu kwam het plotseling allemaal terug, binnen een wip was het gat in haar geheugen gevuld, als een combinatieslot dat openklikte. Ze was tijdens het Ritueel door twee mensen ontvoerd. Twee mensen met een ongewone kennis van elfenzaken.

Holly probeerde weer te praten. 'Waar... waar ben ik?'

De mens giechelde opgetogen en klapte in haar handen. Holly zag dat haar nagels lang en gelakt waren.

93

'Je kunt Engels praten. Wat voor accent is dat? Klinkt een beetje als van alles wat.'

Holly fronste haar wenkbrauwen. De stem van het meisje boorde zich als een kurkentrekker naar het midden van haar hoofdpijn. Ze tilde haar arm op. Geen lokator.

'Waar zijn mijn spullen?'

Het meisje zwaaide met haar vinger, zoals je dat tegen een ondeugend kind doet.

'Artemis moest je je pistooltje afnemen, en al je andere speeltjes ook. We wilden niet dat je jezelf zou bezeren.'

'Artemis?'

'Artemis Fowl. Dit was allemaal zijn idee. Alles is *altijd* zijn idee.'

Holly fronste haar wenkbrauwen. *Artemis Fowl*. Om een of andere reden deed alleen die naam haar al huiveren. Dat was een slecht voorteken. Elfenintuïtie heeft het nooit bij het verkeerde eind.

'Ze komen me halen, hoor,' zei ze, terwijl haar stem tussen haar droge lippen door schuurde. 'Jullie weten niet wat jullie hebben aangericht.'

Het meisje fronste haar wenkbrauwen. 'Daar heb je gelijk in. Ik heb geen flauw idee wat er aan de hand is. Dus hou maar op met mij uit te horen.'

Holly fronste haar wenkbrauwen. Het had duidelijk geen zin denkspelletjes met deze mens te doen. De mesmer was haar enige hoop, en die kon niet door spiegelende oppervlakken heen. Hoe wisten die mensen dat in 's hemelsnaam? Daar moest ze later maar achter zien te komen. Nu moest ze een manier zien te vinden om dit domme meisje van haar spiegelende zonnebril te ontdoen.

'Je bent een mooie mens,' zei ze, waarbij de honingzoete vleierij van haar stem droop.

'Gut, nou, dank je wel...?'

'Holly.'

'Nou, dank je wel, Holly. Ik heb één keer in de regionale krant gestaan. Toen had ik een wedstrijd gewonnen. Miss Suikerbiet Negentiennegenennegentig.'

'Ik wist het wel. Natuurlijke schoonheid. Ik wil wedden dat je prachtige ogen hebt.'

'Iedereen zegt van wel, ja,' knikte Juliet. 'Wimpers als de veren van een klok.'

Holly zuchtte. 'Ik wou dat ik ze kon zien.'

'Waarom ook niet?' Juliets vingers kromden zich om het pootje van de bril. Toen weifelde ze. 'Misschien moest ik het toch maar niet doen.'

'Waarom niet? Heel even maar.'

'Ik weet niet. Artemis zei dat ik deze bril absoluut niet mocht afzetten.'

'Hij komt er toch niet achter.'

Juliet wees op een camera die aan de muur hing. 'O, jawel, daar komt hij wel achter. Artemis komt overal achter.' Ze boog zich dicht naar de elf toe. 'Soms denk ik wel eens dat hij ook ín mijn hoofd kan kijken.'

Holly fronste haar wenkbrauwen. Wederom door die Artemis gedwarsboomd. 'Kom op. Heel even maar. Wat maakt dat nou uit?'

Juliet deed of ze erover nadacht. 'Niks eigenlijk. Tenzij je natuurlijk hoopt dat je me met de mesmer te pakken kunt krijgen. Wie denk je wel dat je voor je hebt?'

'Ik weet iets beters,' zei Holly, nu op een veel serieuzere toon.

'Waarom sta ik niet op, sla jou knock-out, en zet dan die stomme bril af?'

Juliet lachte hartelijk, alsof dit wel het belachelijkste was wat ze ooit gehoord had. 'Da's een goeie, elfenmeisje.'

'Ik ben bloedserieus, mens.'

'Nou, als je serieus bent,' zuchtte Juliet, terwijl ze elegant een vinger achter haar brillenglazen stak om een traan weg te vegen, 'dan zal ik je twee redenen geven. Eén: Artemis zei dat jij, zolang je in een mensenhuis verblijft, moet doen wat wij willen. En ik wil dat jij op dat bed blijft liggen.'

Holly deed haar ogen dicht. Ze had weer gelijk. Waar haalde deze groep zijn informatie vandaan?

'En twee.' Juliet glimlachte weer, maar dit keer verrieden die tanden iets van haar broer. 'Twee, omdat ik dezelfde opleiding heb gehad als mijn broer Butler, en omdat ik al heel lang dolgraag mijn rechtse directe op iemand wil proberen.'

*Dat zullen we nog wel eens zien, mens*, dacht Holly. Kapitein Short was nog niet helemaal honderd procent, en ze had ook nog dat ding dat in haar enkel sneed. Ze dacht wel te weten wat dat was, en als ze gelijk had, zou dat het begin van een plan kunnen zijn.

Commandant Root had de frequentie van Holly's lokator op het scherm van zijn helm ingesteld. Het duurde langer dan Root had verwacht voor hij in Dublin was. Het moderne vleugeltuig was ingewikkelder dan hij gewend was, plus het feit dat hij had verzuimd een opfriscursus te volgen. Toen hij op de juiste hoogte was, kon hij de lichtgevende plattegrond op zijn vizier bijna over de echte straten van Dublin onder hem heen laten vallen. Bijna.

'Foaly, opgeblazen centaur die je bent,' blafte hij in zijn microfoon.

'Is er iets, baas?' klonk het blikkerige antwoord.

'Is er iets? Zeg dat wel. Wanneer heb je voor het laatst de Dublin-files bijgewerkt?'

Root hoorde smakkende geluiden in zijn oor. Het klonk of Foaly aan het lunchen was.

'Het spijt me, commandant. Even dit worteltje wegwerken. Eh... Dublin, even kijken. Vijfenzeventig... Achttienvijfenzeventig.'

'Als ik het niet dacht! De stad is helemaal veranderd. De mensen zijn er zelfs in geslaagd de vorm van de kustlijn te veranderen.'

Foaly was even stil. Root kon zich helemaal voor de geest halen hoe hij met dit probleem zat te worstelen. De centaur vond het niet leuk als hij te horen kreeg dat een deel van zijn systeem verouderd was.

'Oké,' zei hij uiteindelijk. 'Ik ga het volgende doen. We hebben een Scope op een satelliet in een geostationaire baan boven Ierland.'

'Ik begrijp het,' mompelde Root, wat eigenlijk gelogen was.

'Ik ga de waarneming van vorige week rechtstreeks naar uw vizier e-mailen. Gelukkig dat al die nieuwe helmen een videokaart hebben.'

'Gelukkig wel, ja.'

'Het zal wel moeilijk worden om uw vluchtpatroon precies op de videobeelden af te stemmen...'

Root had er schoon genoeg van. 'Hoe lang, Foaly?'

'Eh... twee minuten, om en nabij.'

'Om en nabij wat?'

'Ongeveer tien jaar, als mijn berekeningen niet kloppen.'

'Die kunnen dan maar beter wel kloppen. Ik blijf rondzweven tot we het weten.'

Honderdvierentwintig seconden later vervaagden Roots zwart-wit blauwdrukken en werden vervangen door kleurenbeelden bij daglicht. Als Root bewoog, bewogen de beelden, en het waarschuwingslampje van Holly's lokator bewoog ook.

'Indrukwekkend,' zei Root.

'Pardon, wat zei u, commandant?'

'Ik zei: indrukwekkend,' schreeuwde Root. 'Maar daar hoef je nog niet van naast je schoenen te gaan lopen.'

De commandant hoorde het geluid van een kamer vol gelach, en hij besefte dat Foaly hem op de intercom had gezet. Iedereen had gehoord dat hij de centaur een complimentje over zijn werk had gegeven. Hij zou minstens een maand niet tegen hem praten. Maar dat was het wel waard. De video die hij nu ontving, was super up-to-date. Als kapitein Short ergens in een gebouw werd vastgehouden, dan zou de computer hem onmiddellijk de 3D-blauwdrukken daarvan geven. Het was waterdicht. Behalve—

'Foaly, het lampje is van de kust af gegaan. Wat heeft dat te betekenen?'

'Een boot of een schip, meneer, gok ik zo.'

Root vervloekte zichzelf dat hij daar zelf niet aan had gedacht. Dat werd lachen-gieren-brullen in de controlekamer. Natuurlijk was het een schip. Root zakte een paar honderd meter tot de schimmige contour van het schip door de mist heen opdoemde. Een walvisvaarder zo te zien. De technologie mocht in de loop der eeuwen dan veranderd zijn, maar het

grootste zoogdier ter wereld kon je nog steeds het best met een harpoen te lijf gaan.

'Kapitein Short bevindt zich ergens daarbinnen, Foaly. Benedendeks. Wat heb je verder voor me?'

'Niets, meneer. Dat schip ligt daar tijdelijk. Tegen de tijd dat we zijn registratie opgespoord hebben, zou het al veel te laat zijn.'

'En thermische beelden, is dat geen idee?'

'Nee, commandant. Die romp moet minstens vijftig jaar oud zijn, die heeft een heel hoog loodgehalte. We komen niet eens door de eerste laag heen. Ik ben bang dat u het alleen zult moeten opknappen.'

Root schudde zijn hoofd. 'En dat na alle miljarden die we in jouw afdeling hebben gepompt. Help me onthouden dat ik je budget drastisch verlaag als ik terug ben.'

'Ja, meneer,' klonk het antwoord, dit keer eens chagrijnig. Foaly hield niet van grapjes over zijn budget.

'Zorg dat Beveiliging in staat van opperste paraatheid is. Ik kan ze elk ogenblik nodig hebben.'

'Zal ik doen, meneer.'

'Dat is je geraden. Over en sluiten.'

Root was nu op zichzelf aangewezen. En toegegeven, zo had hij het het liefst. Geen wetenschap, geen arrogante centaur die in zijn oor zat te hinniken – alleen een elf, zijn vernuft en misschien een sprankje toverkracht.

Root hield zijn vleugels van polymeer scheef, en scheerde aldus langs de onderkant van een mistbank. Hij hoefde niet voorzichtig te zijn. Zijn schild was geactiveerd, dus hij was onzichtbaar voor het menselijk oog. Zelfs op een extra-gevoelige radar zou hij niet meer zijn dan een nauwelijks

merkbare storing. De commandant dook omlaag naar de dolboorden. Wat een akelig schip was dit. Op de van bloed doordrenkte dekken kon je de geur van dood en pijn nog ruiken. Veel edele dieren waren hier gestorven en in stukken gesneden voor een paar stukken zeep en wat olie. Root schudde zijn hoofd. Wat waren mensen toch een barbaren.

Holly's pieper flitste nu heel fel. Ze was in de buurt, heel dicht in de buurt. Ergens binnen een straal van tweehonderd meter bevond zich het hopelijk nog ademende lichaam van kapitein Short. Maar zonder blauwdrukken zou hij de weg door de buik van dit schip in zijn eentje moeten zien te vinden.

Root landde zachtjes op het dek, waarbij zijn laarzen even bleven vastzitten in het mengsel van gedroogde zeep, bloed en walvisvet waar het stalen oppervlak mee bedekt was. Er viel geen levende ziel te bekennen. Geen wachter op de loopplank, geen bootsman op de brug, nergens brandde licht. Maar dat was geen reden om zijn voorzichtigheid te laten varen. Root wist uit bittere ervaring dat mensen plotseling konden opduiken als je ze helemaal niet verwachtte. Toen hij een keer de jongens van de Beveiligingseenheid hielp om wat capsuleresten van een tunnelwand te schrapen, had een groepje grottoeristen hen in het vizier gekregen. Wat een zootje was dat geweest. Massahysterie, snelle achtervolgingen, geheugenwissing voor de hele groep – de hele rataplan. Root huiverde. Van zo'n avond werd je als elf tientallen jaren ouder.

De commandant hield zijn schild volledig geactiveerd, borg zijn vleugels op in hun koker en ging te voet het dek over. Op zijn scherm vielen geen andere levensvormen te bekennen, maar, zoals Foaly al zei, de romp had een hoog loodgehalte – zelfs de verf was op loodbasis! Dat hele schip was een drijvende

milieuramp. Het kon wel zo zijn dat er benedendeks een heel bataljon aan stoottroepen verborgen zat, maar dan nog zou zijn helmcamera die nooit te zien krijgen. Heel geruststellend. Zelfs Holly's waarschuwingslampje was nu wat zwak, en die had een batterij op microkernenergie die de signalen verstuurde. Dit beviel Root niet. Helemaal niet zelfs. Rustig maar, sprak hij zichzelf spottend toe, je hebt een schild. Geen mens op aarde kan je nu zien.

Root deed het eerste deurtje open. Dat ging soepeltjes. De commandant snoof. Het Moddervolk had de scharnieren met walvisvet gesmeerd. Kwam er dan nooit een eind aan hun verdorvenheid?

De gang was in een stroperige duisternis gehuld, dus klapte Root zijn infraroodfilter omlaag. Oké, soms was die technologie toch wel handig, maar dat ging hij Foaly niet aan zijn neus hangen. Het netwerk van buizen en roosters dat hij nu voor zich zag, werd onmiddellijk onnatuurlijk rood verlicht. Een paar minuten later had Root er alweer spijt van dat hij iets aardigs over de technische snufjes van de centaur had gedacht. Het infraroodfilter verstoorde zijn dieptewaarneming, en hij had zijn hoofd nu al tegen twee uitstekende u-pijpen gestoten.

Nog steeds geen teken van leven – mens noch elf. Wel veel dieren. Voornamelijk knaagdieren. En als je zelf maar net een meter lang bent, kan een uit de kluiten gewassen rat al een hele bedreiging vormen, vooral aangezien ratten een van de weinige soorten zijn die recht door een elfenschild heen kunnen kijken. Root gespte zijn wapen los en zette hem op stand drie, of half doorbakken zoals de elfen dat in de kleedkamer altijd noemden. Hij joeg een van de ratten met een rokend achterwerk weg, bij wijze van waarschuwing voor de rest. Niets ernstigs, maar net

genoeg om hem te leren dat hij niet nog een keer opzij moest kijken als er een haastige elf langskwam.

Root liep weer verder. Dit was een ideale plek voor een hinderlaag. Hij was praktisch blind, met zijn rug naar de enige uitgang. Een Opsporings-nachtmerrie. Als een van zijn eigen mannen een stunt als deze had uitgehaald, had hij zijn strepen kunnen inleveren. Maar in tijden van wanhoop moest je wel eens weloverwogen risico's nemen. Dat was de kern van het leiderschap.

Hij negeerde een paar deuren aan weerskanten en volgde het waarschuwingslampje. Nu nog tien meter. De gang was door een stalen deur afgesloten, en kapitein Short, of haar dode lichaam, lag aan de andere kant.

Root zette zijn schouder tegen de deur. Die ging zonder morren open. Dat was een slecht teken. Als er een levend wezen gevangen werd gehouden, zou de deur op slot zitten. De commandant zette zijn revolver op stand vijf en ging door het gat naar binnen. Zijn wapen zoemde zachtjes. Er zat nu genoeg kracht achter om een mannetjesolifant met één schot in rook te doen opgaan.

Geen teken van Holly. Geen teken waar dan ook van. Hij bevond zich in een gekoelde opslagruimte. Aan een netwerk van buizen hingen glinsterende stalactieten. Roots adem waaierde voor zijn neus in ijzige wolken uiteen. Hoe zou dat er voor een mens uitzien? Ademhaling zonder lichaam.

'Aha,' zei een bekende stem. 'We hebben bezoek.'

Root liet zich op een knie vallen, terwijl hij zijn wapen op de plek richtte waar de stem vandaan kwam.

'Zeker gekomen om jullie vermiste officier te redden?'

De commandant knipperde een zweetdruppel uit zijn oog.

Zweet? Bij deze temperatuur?

'Nou, ik ben bang dat u dan naar de verkeerde plek bent gekomen.'

De stem klonk blikkerig. Kunstmatig. Vergroot. Root keek op de lokator of er tekens van leven te bekennen vielen. Die waren er niet. In elk geval niet in deze ruimte. Hij werd op een of andere manier van buitenaf gadegeslagen. Hing er ergens een camera, verscholen in de wirwar aan buizen boven zijn hoofd, die het elfenschild kon doordringen?

'Waar bent u? Kom te voorschijn!'

De mens grinnikte. Het echode onnatuurlijk door de grote ruimte. 'O nee, nog niet, mijn elfenvriend. Maar het zal niet lang meer duren. En geloof me, als het zover is, zou je wensen dat ik was weggebleven.'

Root volgde de stem. Hij moest die mens aan de praat houden. 'Wat wilt u?'

'Hm. Wat ik wil? Nogmaals, daar zul je snel genoeg achterkomen.'

Er stond een laag kratje in het midden van het ruim. Daarop lag een koffertje. Het was open.

'Waarom brengt u me hier eigenlijk heen?'

Root duwde met zijn pistool tegen het koffertje. Er gebeurde niets.

'Ik heb je hier naartoe laten komen voor een demonstratie.'

De commandant boog zich over de geopende koffer. Daarin lag, strak in schuimrubber verpakt, een plat, luchtdicht verpakt pakje en een videorecorder voor drie banden. Daarbovenop lag Holly's lokator. Root kreunde. Holly zou nooit uit zichzelf haar uitrusting opgeven, dat zou geen enkele elfBI-officier doen.

'Wat voor soort demonstratie, gestoorde gek die je bent?'

103

Weer dat kille gegrinnik. 'Een demonstatie van mijn volledige toewijding aan mijn doel.'

Root had zich op dat moment al zorgen moeten maken over zijn eigen gezondheid, maar hij had het te druk met zich zorgen maken over die van Holly. 'Als u mijn officier ook maar een punt van haar spitse oortjes heeft gekrenkt...'

'*Jouw* officier? Ach, we doen aan management. Wat een voorrecht. Reden te meer om mijn standpunt duidelijk te maken.'

In Roots hoofd gingen alarmbellen af. 'Uw standpunt?'

De stem die uit het aluminium rooster van de luidspreker kwam, klonk net zo dreigend als een nucleaire winter. 'Mijn standpunt, kleine elfenman, is dat ik niet iemand ben die met zich laat sollen. Dus als je nu het pakje even wilt bekijken.'

De commandant deed wat hem gezegd was. Het was nogal een onduidelijke vorm. Plat, als een plak stopverf, of... O nee!

Onder de verzegeling flikkerde een rood lampje aan.

'Vlieg, elfje,' zei de stem. 'En zeg tegen je vrienden dat Artemis Fowl de Tweede hen laat groeten.'

Naast het rode lampje sprongen nu achtereenvolgens groene symbooltjes aan. Root herkende ze nog van zijn lessen mensenstudie, vroeger op de Academie. Het waren... cijfers. Ze gingen achteruit. Een aftelling!

'D'Arvit!' gromde Root. (Het heeft geen zin dit woord te vertalen, want dan zou het toch maar gecensureerd moeten worden.)

Hij draaide zich om en vluchtte de gang in, terwijl de spottende stem van Artemis Fowl door de metalen koker achter hem aan kwam.

'Drie,' zei de mens. 'Twee...'

'D'Arvit,' herhaalde Root. De gang leek nu veel langer. Door een deur, die op een kier stond, gluurde een piezeltje sterrenhemel. Root activeerde zijn vleugels. Hier was een knap staaltje vliegkunst voor nodig. De reikwijdte van de Kolibrie was nauwelijks smaller dan de gang van het schip.

'Een.'

De elektronische vleugels schuurden langs een uitstekende pijp, en de vonken vlogen ervan af. Root maakte een radslag en stond met een snelheid van MACH I weer rechtop.

'Nul...' zei de stem. 'Boem!'

In het vacuüm verpakte pakje vonkte een ontsteker, die daarmee een kilo pure semtex deed ontvlammen. De withete reactie verslond de omringende zuurstof in een fractie van een seconde en golfde over de weg van de minste weerstand, en dat was natuurlijk rechtstreeks achter commandant Root aan.

Root liet zijn vizier zakken en draaide het gas helemaal open. Het was nu nog maar een paar meter naar de deur. Het was nu echt een kwestie van wie er het eerst was: de elf of de vuurbal.

Hij haalde het. Nét. Hij wierp zichzelf in een achterwaartse salto en voelde zijn bovenlijf door de explosie door elkaar rammelen. De vlammen grepen naar zijn overall en likten langs zijn benen. Root zette zijn manoeuvre voort en viel rechtstreeks in het ijskoude water. Vloekend ging hij onder.

Boven hem was de walvisvaarder bijna helemaal door giftige vlammen verslonden.

'Commandant,' klonk een stem in zijn oortelefoontje. Het was Foaly. Hij was weer binnen bereik.

'Commandant. Hoe is uw situatie?'

Root kwam uit de greep van het water omhoog.

'Mijn situatie, Foaly, is uitzonderlijk heikel. Duik in je

computers. Ik wil alles weten wat er te weten valt over ene Artemis Fowl, en dat wil ik horen vóór ik weer op de basis terug ben.'

'Komt in orde, commandant. Ogenblikkelijk.'

Geen geintjes dit keer. Zelfs Foaly realiseerde zich dat het daar niet het juiste moment voor was.

Root zweefde op driehonderd meter hoogte. Onder hem kwamen reddingsvoertuigen als motjes op een lamp op de in lichterlaaie staande walvisvaarder af. Root veegde verkoolde draadjes van zijn ellebogen. Daar zou die Artemis Fowl zwaar voor boeten, zwoer hij. Zo veel was zeker.

# De belegering

Artemis leunde achterover in de leren draaistoel van de studeerkamer en glimlachte boven zijn spitse vingers. Perfect. Dat ontploffinkje zou die elfen wel van hun arrogante houding genezen. Bovendien was er nu één walvisvaarder minder op de wereld. Artemis Fowl hield niet van walvisvaarders. Er waren minder slechte manieren om bijproducten van olie te produceren.

De knoopsgatcamera die in de lokator verstopt zat, had prima gewerkt. Met zijn hoge-resolutiebeelden had hij de veelzeggende ademkristallen van de elf kunnen zien.

Artemis raadpleegde de bewakingsmonitor van de kelder. Zijn gevangene zat nu op het bed, met het hoofd in de handen. Artemis fronste zijn wenkbrauwen. Hij had niet verwacht dat een elf er zo... zo menselijk uit zou zien. Tot op heden waren ze niet meer dan prooi geweest, dieren waar op gejaagd moest worden. Maar nu hij er een zag, er zo duidelijk slecht aan toe... dat veranderde de zaak toch wel.

Artemis zette de computer op stand-by en liep naar de grote deuren. Tijd voor een praatje met hun gast. Net op het moment dat zijn vingers de koperen handvatten aanraakten, vloog de deur voor zijn neus open. Juliet verscheen in de deuropening, met rode wangen van de haast.

'Artemis,' zei ze, naar adem happend. 'Je moeder. Ze...'

Artemis voelde een loden bal in zijn maag vallen. 'Ja?'

'Nou, ze zegt, Artemis... Artemis, dat je...'

'Ja, Juliet. In 's hemelsnaam, wat is er?'

Juliet legde haar handen over haar mond en herstelde zich. Na een paar seconden deed ze haar met lovertjes versierde nagels uit elkaar en sprak tussen haar vingers door. 'Je vader, meneer. Artemis Senior. Madam Fowl zegt dat hij terug is!'

Een fractie van een seconde zou Artemis gezworen hebben dat zijn hart niet meer klopte. Vader? Terug? Kon dat dan? Natuurlijk had hij altijd geloofd dat zijn vader nog leefde. Maar de laatste tijd, sinds hij dit elfenplan had uitgebroed, was het net of zijn vader naar de achtergrond van zijn gedachten was geschoven. Artemis voelde zijn maag samentrekken van schuldgevoel. Hij had het opgegeven. Hij had de hoop op zijn eigen vader opgegeven!

'Heb je hem gezien, Juliet? Met je eigen ogen?'

Het meisje schudde haar hoofd.

'Nee, meneer Artemis. Ik heb alleen stemmen gehoord. In de slaapkamer. Maar ze laat me niet binnen. Nergens voor. Niet eens om haar een warm drankje te brengen.'

Artemis begon te rekenen. Ze waren pas een uur geleden teruggekomen. Zijn vader kon langs Juliet zijn geglipt. Het was mogelijk. Meer niet. Hij keek op zijn horloge, dat door voortdurend geüpdate radiosignalen exact gelijkstond met de Greenwichtijd. Het was drie uur 's nachts. De tijd verstreek. Zijn hele plan hing af van de vraag of de elfen hun volgende zet deden vóór het dag was.

Artemis schrok op. Hij deed het weer: hij schoof zijn familie aan de kant. Wat moest er van hem worden? Zijn vader was nu

het allerbelangrijkste, niet een of ander plan om geld te vergaren.

Juliet stond nog steeds in de deuropening. Ze stond hem met die enorme blauwe ogen van haar aan te kijken. Ze wachtte tot hij een beslissing zou nemen, zoals hij altijd deed. Maar voor de verandering stond er dit keer besluiteloosheid op zijn bleke gezicht te lezen.

'Goed dan,' mompelde hij op een gegeven moment, 'dan ga ik maar meteen naar boven.'

Artemis liep rakelings langs het meisje en ging met twee treden tegelijk de trap op. De kamer van zijn moeder was een verbouwde zolderruimte, twee verdiepingen hoger.

Bij de deur aarzelde hij even. Wat moest hij zeggen als het echt zo was dat zijn vader op wonderbaarlijke wijze weer was thuisgekomen? Wat moest hij dan doen? Belachelijk dat hij daarover zat te twijfelen. Er viel toch niets over te zeggen. Hij klopte zachtjes aan.

'Moeder?'

Geen antwoord, maar hij hoorde giechelen en werd meteen meegevoerd naar het verleden. Aanvankelijk was deze kamer de salon van zijn ouders geweest. Dan zaten ze urenlang op de bank als schoolkinderen te giechelen, de duiven te voeren of naar de schepen te kijken die door de zeestraat van Dublin langsvoeren. Toen Artemis Senior verdween, was Angeline Fowl zich steeds meer aan deze ruimte gaan hechten, en uiteindelijk weigerde ze er helemaal nog uit te gaan.

'Moeder? Is alles goed met u?'

Gedempte stemmen in de kamer. Samenzweerderig gefluister.

'Moeder. Ik kom binnen.'

'Wacht even. Timmy, hou daar mee op, beest. Er zijn andere mensen bij.'

Timmy? Artemis' hart bonkte als een roffeltrom in zijn borst. Timmy, haar koosnaampje voor zijn vader. Timmy en Arty. De twee mannen in haar leven. Hij kon niet langer wachten. Artemis stormde door de dubbele deuren naar binnen.

Het eerste wat hem opviel, was dat het licht was. Zijn moeder had de lampen aan gedaan. Dat was beslist een goed teken. Artemis wist waar zijn moeder zou zijn. Hij wist precies waar hij moest kijken. Maar hij kon het niet... Wat als... Wat als...

'Ja, kunnen we iets voor je doen?'

Artemis draaide zich om, nog steeds met neergeslagen ogen. 'Ik ben het.'

Zijn moeder lachte. Luchtig en zorgeloos. 'Ik zie dat jij het bent, papa. Kun je die jongen niet één avondje vrijaf geven? Het is onze huwelijksreis, hoor!'

Toen wist Artemis het. Het was gewoon uit de hand gelopen gekte. Papa? Angeline dacht dat Artemis zijn eigen grootvader was. Die was al meer dan tien jaar dood. Hij sloeg zijn ogen langzaam op.

Zijn moeder zat op de bank, schitterend uitgedost in haar eigen bruidsjurk, haar gezicht onhandig onder de make-up gesmeerd. Maar dat was nog niet het ergste.

Naast haar zat een nabootsing van zijn vader, gemaakt van het jacquet dat hij op die roemrijke dag, veertien jaar geleden, in de Christchurch-kathedraal gedragen had. De kleren waren opgevuld met papier en boven het hemd zat een opgestopt kussen waar met lippenstift een gezicht op was getekend. Het was bijna grappig. Artemis onderdrukte een snik – zijn hoop was als een zomerse regenboog vervlogen.

'Wat zeg je, papa?' zei Angeline met een lage basstem, terwijl ze het kussen liet knikken als een buikspreker die haar pop beweegt. 'Eén avondje vrijaf voor je zoon, ja?'

Artemis knikte. Wat moest hij anders? 'Goed, één avond dan. Neem morgen er ook maar bij. Veel geluk.'

Angelines gezicht straalde van oprechte vreugde. Ze sprong op van de bank en omhelsde haar zoon die ze niet herkende. 'Dank je wel, papa. Dank je wel!'

Artemis beantwoordde haar omhelzing, maar het voelde alsof hij haar bedroog. 'Graag gedaan, ma... Angeline. Maar nu moet ik gaan. Het werk wacht.'

Zijn moeder ging weer naast haar imitatie-echtgenoot zitten. 'Ja, papa. Ga maar, maak je geen zorgen, wij amuseren ons wel.'

Artemis vertrok. Hij keek niet om. Er moest van alles gedaan worden. Hij moest elfen aan het praten zien te krijgen. Hij had geen tijd voor de fantasiewereld van zijn moeder.

Kapitein Holly Short zat met haar hoofd in haar handen. In één hand, om precies te zijn. De andere hand krabbelde omlaag langs de zijkant van haar laars, daar waar de camera hem niet kon zien. In werkelijkheid was haar hoofd kristalhelder, maar het kon geen kwaad als de vijand dacht dat ze nog steeds uitgeschakeld was. Misschien zouden ze haar onderschatten. En dat zou dan de laatste vergissing zijn die ze ooit zouden begaan.

Holly's vingers sloten zich om het voorwerp dat in haar enkel had gesneden. Door de contouren wist ze meteen wat daar verstopt zat. De eikel! Die moest gedurende al die commotie bij de eik in haar laars zijn gegleden. Dit kon wel eens heel belangrijk blijken te zijn. Ze had alleen maar een klein stukje

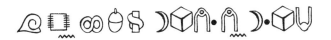

aarde nodig en dan zouden al haar krachten weer hersteld zijn.

Holly keek steels de cel rond. Vers beton, zo te zien. Geen enkele scheur of zelfs maar een afgeschilferd hoekje te bekennen. Nergens een plekje om haar geheime wapen te begraven. Holly stond voorzichtig op om te kijken of haar benen alweer stevig waren. Dat viel mee: een beetje bibberig rond de knieën, maar verder prima. Ze liep naar de muur en drukte haar wang en handpalmen tegen het gladde oppervlak. De betonnen muur was inderdaad vers, van heel recente datum – op sommige plekken was het beton nog vochtig. Haar gevangenis was duidelijk speciaal voor deze gelegenheid gebouwd.

'Zoek je iets?' zei een stem. Een koude, harteloze stem.

Holly deinsde terug van de muur. De mensenjongen stond op nog geen twee meter bij haar vandaan, met zijn ogen verscholen achter spiegelende glazen. Hij was zonder een geluid te maken de kamer binnengekomen. Vreemd.

'Ga zitten, alsjeblieft.'

Holly wilde niet gaan zitten alsjeblieft. Wat ze wel wilde was dit brutale gozertje met haar elleboog uitschakelen en zijn ellendige huid gebruiken om mee te vliegen. Artemis kon het in haar ogen zien.

Hij vond het wel grappig. 'Plannen, kapitein Short?'

Holly ontblootte haar tanden, daar moest hij het maar mee doen bij wijze van antwoord.

'We zijn ons allebei volledig bewust van de regels, kapitein. Dit is mijn huis. Jij moet mijn wensen gehoorzamen. Dat zijn jouw wetten, niet de mijne. En het behoort niet tot mijn wensen dat ik lichamelijk letsel oploop of dat jij dit huis probeert te verlaten.'

Toen drong het tot Holly door.

'Hoe weet jij mijn—'

'Je naam? Je rang?' Artemis glimlachte, zij het zonder vreugde. 'Als je een naamplaatje draagt...'

Holly bedekte met haar hand onwillekeurig het zilveren naamplaatje op haar pak. 'Maar dat is geschreven in—'

'Gnomisch. Dat weet ik. Dat spreek ik toevallig vloeiend. En dat geldt voor iedereen van mijn team.'

Holly was even stil – ze moest deze ontzagwekkende onthulling verwerken. 'Fowl,' zei ze toen opgewonden, 'je hebt geen idee wat je hebt gedaan. Als je de werelden op deze manier bij elkaar brengt, zou dat wel eens voor ons allemaal een ramp kunnen worden.'

Artemis haalde zijn schouders op. 'Ik ben niet geïnteresseerd in *ons allemaal*, alleen in mezelf. En geloof me, met mij zal het prima gaan. Nu gaan zitten, alsjeblieft.'

Holly ging zitten, zonder het miniatuurmonster met haar hazelnootbruine ogen los te laten. 'Nou, hoe luidt je meesterplan, Fowl? Laat me raden: heerschappij over de wereld?'

'Zo dramatisch is het niet,' grinnikte Artemis. 'Het gaat me alleen om rijkdom.'

'Een dief!' beet Holly hem toe. 'Je bent gewoon een dief!'

Er flitste irritatie over Artemis' gezicht, om meteen plaats te maken voor zijn gebruikelijke duivelse grijns.

'Ja. Een dief, zo je wilt. Maar bepaald niet *gewoon* een dief, hoor. De eerste dief ter wereld die tot een andere soort doordringt.'

Kapitein Short snoof. 'De eerste dief die tot een andere soort doordringt! Het Moddervolk steelt al millennia lang van ons.

Waarom denk je dat we onder de grond leven?'

'Klopt. Maar ik zal de eerste zijn die met succes een elf zijn goud afhandig maakt.'

'Goud? *Goud*? Idiote mens. Je gelooft die onzin over de kruik met goud toch niet echt, hè? Sommige dingen zijn niet waar, hoor.' Holly gooide haar hoofd in haar nek en lachte.

Artemis inspecteerde geduldig zijn nagels en wachtte tot ze klaar was. Toen de uitbarsting eindelijk geluwd was, schudde hij zijn wijsvinger naar haar.

'Je hebt gelijk dat je lacht, kapitein Short. Ik heb een tijdje in dat geslijm over die pot-met-goud-aan-de-andere-kant-van-de-regenboog geloofd, maar ik weet nu wel beter. Ik weet nu over het gijzelaarsfonds.'

Holly deed haar best om haar gezicht in bedwang te houden. 'Wat voor gijzelaarsfonds?'

'O, kom op, kapitein. Bespaar me die poppenkast. Je hebt me er zelf over verteld!'

'Heb i-ik je d-dat verteld?' stamelde Holly. 'Belachelijk!'

'Kijk maar naar je arm.'

Holly rolde haar rechtermouw op. Op de ader zat een watje geplakt.

'Daarin hebben we je sodiumpentathol toegediend, ook wel het waarheidsserum genoemd. Je hebt alles verraden.'

Holly wist dat het waar was. Hoe kon hij het anders weten? 'Je bent gek!'

Artemis knikte toegeeflijk. 'Als ik win, ben ik een wonder-kind. Als ik verlies, ben ik gek. Zo werkt dat nu eenmaal in de geschiedenis.'

Er was natuurlijk helemaal geen waarheidsserum aan te pas gekomen, alleen een onschuldig prikje met een gesteriliseerde

114

naald. Artemis zou nooit het risico nemen dat hij een hersenbeschadiging bij zijn broodwinning veroorzaakte, maar hij kon zich ook niet permitteren haar te onthullen dat het Boek zijn informatiebron was. Hij kon de gijzelaar beter laten geloven dat ze haar eigen volk had verraden. Dat was slecht voor haar moreel, waardoor ze vatbaarder was voor zijn psychologische spelletjes. Toch zat die list hem niet lekker. Het was wreed, dat viel niet te ontkennen. Hoe ver was hij bereid te gaan voor dat goud? Hij wist het niet, en hij zou het ook niet weten tot het moment daar was.

Holly zakte in elkaar, tijdelijk verslagen door deze laatste ontwikkeling. Ze had gepraat. Ze had heilige geheimen verraden. Zelfs als ze erin zou slagen te ontsnappen, zou ze naar een of andere ijskoude tunnel onder de Noordpool worden verbannen.

'Dit is nog niet voorbij, Fowl,' zei ze uiteindelijk. 'Wij hebben krachten waar jij onmogelijk van op de hoogte kunt zijn. Je zou er dagen voor nodig hebben om ze allemaal te beschrijven.'

De razendmakende jongen lachte weer. 'Hoe lang denk je dat je hier al bent?'

Holly kreunde, ze wist wat er ging komen. 'Een paar uur?'

Artemis schudde zijn hoofd. 'Drie dagen,' loog hij. 'We hebben je meer dan zestig uur aan het infuus gehad... tot je ons alles had verteld wat we wilden weten.'

Met dat hij die woorden uitsprak, voelde Artemis zich al schuldig. Die psychologische spelletjes hadden duidelijk effect op Holly, ze verwoestten haar van binnenuit. Was dat nou echt nodig?

'Drie dagen? Je had me wel kunnen doden. Wat ben jij...'

En het was deze sprakeloosheid die Artemis' brein pas echt goed aan het twijfelen zette. De elf vond hem zo in en in slecht dat ze er geen woorden voor had.

Holly vermande zich. 'Goed dan, meester Fowl,' beet ze hem hatelijk toe, 'als je dan zo veel over ons weet, dan weet je ook wat er gebeurt als ze me opgespoord hebben.'

Artemis knikte afwezig. 'O ja, dat weet ik. Ik reken er zelfs op.'

Nu was het Holly's beurt om te grijnzen. 'Nee maar. Vertel eens, jongen, heb je ooit een trol ontmoet?'

Voor het eerst zakte het zelfvertrouwen van de mens een puntje. 'Nee. Nog nooit.'

Holly lachte nog meer tanden bloot. 'Dat komt nog wel, Fowl. Dat komt nog wel. En ik hoop dat ik er persoonlijk bij aanwezig mag zijn.'

De elfBI had bij E1, Tara, een bovengronds hoofdkwartier ingericht.

'En?' zei Root terwijl hij naar een gremlinverpleger sloeg die brandwondenzalf op zijn voorhoofd smeerde. 'Laat maar. Mijn toverkracht geneest het binnen de kortste keren zelf wel.'

'En wat?' antwoordde Foaly.

'Geen brutaliteiten vandaag, Foaly, want vandaag is niet een van de o-wat-ben-ik-onder-de-indruk-van-de-technologie-van-dat-veulen dagen. Vertel me wat je over die mens te weten bent gekomen.'

Foaly trok een chagrijnig gezicht en maakte zijn muts van folie wat beter op zijn hoofd vast. Hij zwaaide het deksel van een flinterdunne laptop open.

'Ik heb bij Interpol ingebroken. Koud kunstje. Ze hadden net

zo goed de rode loper kunnen uitleggen...'

Root trommelde met zijn vingers op de vergadertafel. 'Ga verder.'

'Oké. Fowl. Een bestand van tien gigabyte. Op papier is dat een halve bibliotheek.'

De commandant floot. 'Da's wat je noemt een druk baasje.'

'Een drukke familie,' corrigeerde Foaly. 'De Fowls ondermijnen al generaties lang de rechtsgang. Afpersing, smokkel, gewapende overvallen. Vooral georganiseerde misdaad de vorige eeuw.'

'Hebben we een lokatie?'

'Dat was nog het gemakkelijkste te vinden. Huize Fowl. Op een landgoed van achthonderd hectare aan de rand van Dublin. Huize Fowl ligt maar een kilometer of twintig van onze huidige lokatie.'

Root beet op zijn onderlip. 'Maar twintig? Dat betekent dat we er voor zonsopgang kunnen zijn.'

'Ja. Dan kunnen we die hele toestand even regelen voor het in het zonlicht uit de hand loopt.'

De commandant knikte. Dit was hun eerste breekpunt. Elfen waren al eeuwen niet in het daglicht getreden. Zelfs als ze bovengronds leefden, waren het toch voornamelijk nacht-wezens. De zon loste hun toverkracht op als bleekmiddel een foto. Wie weet wat voor schade Fowl verder kon aanrichten als ze nog een dag moesten wachten voor ze een aanvalsmacht konden sturen. Het was zelfs mogelijk dat deze hele affaire op de media gericht was en dat het gezicht van kapitein Short de volgende avond al op de voorpagina van elke krant of elk tijdschrift over de hele wereld te zien zou zijn. Root huiverde. Dat zou het einde van alles betekenen, tenzij het Moddervolk

had geleerd om met andere soorten samen te leven. En als ze al iets van de geschiedenis hadden kunnen leren, dan was het wel dat mensen met niemand konden samenleven, zelfs niet met zichzelf.

'Goed. Iedereen in de aanslag. We vliegen in v-formatie. Stel een gebied binnen de grenzen van het landgoed vast.'

Het Beveiligings-team brulde militair aandoende bevestigende antwoorden en ontlokte daarbij zo veel metalige geluiden aan hun wapens als maar kon.

'Foaly, haal de techneuten. Kom in de shuttle achter ons aan. En breng de grote schotels mee. We gaan het hele landgoed afsluiten om onszelf wat ademruimte te geven.'

'Eén ding, commandant,' mijmerde Foaly.

'Ja?' zei Root ongeduldig.

'Waarom heeft die mens ons verteld wie hij was? Hij moet geweten hebben dat we hem konden vinden.'

Root haalde zijn schouders op. 'Misschien is hij niet zo slim als hij wel denkt.'

'Nee. Dat is het volgens mij niet. Helemaal niet zelfs. Volgens mij is hij ons de hele tijd al een stap voor geweest, en dat is nu weer zo.'

'Ik heb nu geen tijd voor je theorieën, Foaly. De dageraad breekt aan.'

'Nog één ding, commandant.'

'Is het belangrijk?'

'Ja, ik denk van wel.'

'Nou?'

Foaly tikte een toets op zijn laptop in en scrolde door de belangrijkste statistische gegevens over Artemis. 'Dit criminele meesterbrein, degene die achter dit uitgebreide plan zit...'

'Ja? Wat is er met hem?'

Foaly keek op, met een bijna bewonderende blik in zijn gouden ogen. 'Nou, hij is pas twaalf jaar. En dat is jong, zelfs voor een mens.'

Root snoof en ramde een nieuw patroon in zijn drie-dubbelloops revolver. 'Te veel naar die rottelevisie gekeken. Hij denkt zeker dat hij Sherlock Holmes is.'

'U bedoelt professor Moriarty,' corrigeerde Foaly hem.

'Holmes, Moriarty, ze zien er allebei hetzelfde uit als het vlees van hun schedel is weggeschroeid.'

En met dit elegante, vinnige antwoord ging Root achter zijn team aan de nachtlucht in.

Het Beveiligings-team ging in een v-formatie vliegen, zoals ganzen doen, met Root op kop. Ze vlogen in zuidwestelijke richting, en volgden daarbij de videobeelden die naar hun helm geë-mailed werden. Foaly had Huize Fowl zelfs met een rode stip aangegeven. Kinderlijk eenvoudig, had hij in zijn microfoon gemompeld, net hard genoeg voor de commandant om hem te verstaan.

Het middelpunt van landgoed Fowl was een gerenoveerd laat middeleeuws/vroeg modern kasteel, in de vijftiende eeuw gebouwd door Lord Hugh Fowl. De Fowls hadden Huize Fowl in de loop der jaren weten te behouden – ze hadden oorlogen, burgeropstanden en diverse invallen van de Belastingdienst overleefd. Artemis was niet van plan degene te zijn die het zou kwijtraken. Het landgoed was omringd door een vijf meter hoge stenen muur met kantelen, compleet met de oorspronke-lijke wachttorens en verbindingsgangen.

Het team landde net binnen de omgrenzing en begon een

onmiddellijk onderzoek naar mogelijke vijanden.

'Twintig meter uit elkaar,' instrueerde Root hen. 'Veeg het gebied schoon. Meld je elke zestig seconden. Begrepen?'

Iedereen knikte. Natuurlijk hadden ze het begrepen. Ze waren professionals.

Luitenant Knuppel, de leider van het team, klom in een wachttoren. 'Weet je wat we zouden moeten doen, Julius?'

Hij en Root hadden samen op de Academie gezeten en waren in dezelfde tunnel opgegroeid. Knuppel was een van de misschien vijf elfen die Root bij zijn voornaam noemden.

'Ik weet wat jij vindt dat we zouden moeten doen.'

'We zouden die hele tent moeten opblazen.'

'Nee maar, wat een verrassing.'

'Dat is de schoonste manier. Eén blauwspoeling en onze verliezen blijven tot een minimum beperkt.'

'Blauwspoeling' was een ander woord voor de verwoestende biologische bom die hun strijdmacht bij zeldzame gelegenheden gebruikte. Het slimme van die biobom was dat hij alleen levend weefsel vernietigde. Het landschap bleef onaangetast.

'Dat minimum aan verliezen waar jij het over hebt, is toevallig wel een van mijn officieren.'

'O ja,' zei Knuppel zuinigjes. 'Een vrouwelijke Opsporings-officier. De testcase. Nou, ik denk dat je er problemen mee krijgt als je voor een tactische oplossing kiest.'

Roots gezicht kreeg de bekende paarse kleur. 'Jij kunt nu maar beter bij mij uit de buurt gaan, anders zou ik me nog wel eens genoodzaakt kunnen zien om die blauwspoeling recht in dat moeras te rammen waarvan jij denkt dat het je hersenen zijn.'

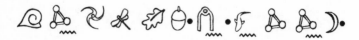

Knuppel verblikte of verbloosde niet. 'Door mij te beledigen veranderen de feiten nog niet, Julius. Je weet wat er in het Boek staat. We mogen onder geen beding toestaan dat de Lagere Elementen in gevaar worden gebracht. Je krijgt maar één tijdsstop, en daarna...'

De luitenant maakte zijn verklaring niet af. Dat was niet nodig.

'Ik weet wat er in het Boek staat,' beet Root hem toe. 'Ik zou alleen willen dat jij daar niet zo enthousiast over deed. Als ik je niet beter kende, zou ik bijna denken dat je een beetje mensenbloed in je hebt.'

'Daar is geen enkele aanleiding toe,' zei Knuppel pruilend. 'Ik doe alleen mijn werk, meer niet.'

'Begrepen,' gaf de commandant toe. 'Het spijt me.'

Dat hoorde je niet vaak, dat Root zijn verontschuldigingen aanbood, maar het was dan ook een heel erge belediging geweest.


Butler zat achter de monitoren.

'Heb je nog iets?' vroeg Artemis.

Butler schrok op – hij had de jonge meester niet horen binnenkomen.

'Nee. Niets. Een of twee keer dacht ik dat ik een flikkering zag, maar dat bleek niets te zijn.'

'Niets is niets,' merkte Artemis cryptisch op. 'Je moet de nieuwe camera gebruiken.'

Butler knikte. Vorige maand had meester Fowl via internet een filmcamera gekocht. Tweeduizend beeldjes per seconde, onlangs ontwikkeld door Industrieel Licht en Magie, voor gespecialiseerde natuuropnamen – kolibrievleugels en derge-

lijke. Het apparaat verwerkte beelden sneller dan het menselijk oog kon waarnemen. Artemis had hem achter een gebeeldhouwd engeltje boven de hoofdingang laten installeren.

Butler activeerde het bedieningspaneel. 'Waar?'

'Probeer de oprijlaan eens. Ik heb het gevoel dat er bezoekers in aantocht zijn.'

De bediende bewoog de joystick, zo klein als een tandenstoker, met zijn enorme vingers. Op de digitale monitor kwam een bewegend beeld tot leven.

'Niets,' mompelde Butler. 'Zo stil als het graf.'

Artemis wees naar de monitor. 'Zet eens stil.'

Butler wilde bijna een vraagteken bij dit bevel plaatsen. Bijna. Maar hij hield toch maar zijn mond en drukte op een knop. Op het scherm bleven de kersenbomen doodstil staan, de bloesems midden in de lucht gevangen. Belangrijker was dat op de oprijlaan plotseling een stuk of tien in het zwart geklede figuurtjes verschenen.

'Hè!' riep Butler uit. 'Waar komen die opeens vandaan?'

'Ze dragen een schild,' legde Artemis uit. 'Ze vibreren op hoge snelheid. Te snel voor het menselijk oog...'

'Maar niet voor de camera,' knikte Butler. Meester Artemis. Altijd twee stappen vooruit. 'Kon ik dat ding maar bij me dragen.'

'Kon dat maar. Maar we hebben wel het beste alternatief...'

Artemis tilde heel voorzichtig een koptelefoon van de werkbank. Dat was wat er van Holly's helm over was. Butlers hoofd in de oorspronkelijke helm proberen te persen was natuurlijk net of je een aardappel in een vingerhoedje probeerde te krijgen. Alleen het vizier en de bedieningsknoppen waren intact. Er waren provisorisch bandjes van

122

een helm aan gezet, zodat hij om de schedel van de bediende paste.

'Dit ding is voorzien van diverse filters. Het ligt voor de hand dat een daarvan antischild is. Laten we hem maar proberen, oké?'

Artemis zette de koptelefoon op Butlers oren.

'Met de afstand tussen jouw ogen zullen er ongetwijfeld wat blinde vlekken zijn, maar daar zou je niet al te veel last van moeten hebben. Zet de camera maar aan.'

Butler liet de camera weer draaien, terwijl Artemis de ene na de andere filter ervoor deed.

'Nu?'

'Nee.'

'Nu...'

'Alles is rood geworden. Ultraviolet. Geen elfen.'

'Nu?'

'Nee. Polaroid, denk ik.'

'De laatste.'

Butler glimlachte. Een haai die een blote kont ziet.

'Bingo.'

Butler zag de wereld zoals hij was, inclusief het Speurders-team dat de oprijlaan op kwam.

'Hm,' zei Artemis. 'Een variatie op de stroboscoop als je het mij vraagt. Een zeer hoge frequentie.'

'Ik begrijp het,' jokte Butler.

'Letterlijk of figuurlijk?' glimlachte zijn werkgever.

'Precies.'

Artemis riep zichzelf tot de orde. Nog meer grapjes. Nog even en hij was met clownsschoenen aan radslagen in de grote hal aan het maken.

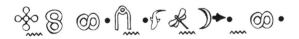

123

'Goed, Butler. Het is hoog tijd dat jij eens gaat doen wat je het best kunt. We schijnen vreemd volk op het terrein te hebben...'

Butler stond op. Meer instructie had hij niet nodig. Hij trok de bandjes van de helm strak en beende kordaat naar de deur.

'O, en Butler...'

'Ja, Artemis?'

'Ik heb ze liever doodsbang dan dood. Als dat zou kunnen.'

Butler knikte. Als dat zou kunnen.

Elfвı Beveiliging I was het beste en het slimste team. Elk elfje droomde ervan dat hij op een dag het onzichtbaar makende pak van de commando's zou mogen aantrekken. Zij vormden de elite. Hun bijnaam was Trubbels. Kapitein Kelp van Beveiliging I heette zelfs Trubbels van zijn voornaam. Daar had hij op gestaan bij de ceremonie ter gelegenheid van zijn volwassenheid, toen hij net bij de Academie was aangenomen.

Trubbels leidde zijn team over de statige oprijlaan. Zoals gewoonlijk ging hij zelf op kop, vastbesloten om zich als eerste in de strijd te werpen, mocht zich, zoals hij vurig hoopte, een strijd voordoen.

'Meld je,' fluisterde hij in de microfoon die als een slang uit zijn helm kronkelde.

'Negatief op een.'

'Niets, kapitein.'

'Eén groot niets, Trubs.'

Kapitein Kelp huiverde. 'We zijn op vijandelijk terrein, korporaal. Volg de voorschriften.'

'Maar mama zei—!'

'Kan me niet schelen wat mama zei, korporaal! Rang is rang! Voor jou ben ik kapitein Kelp.'

'Goed, kapitein,' mokte de korporaal. 'Maar denk maar niet dat ik je tuniek nog voor je strijk.'

Trubbels stelde in op het kanaal van zijn broer en sloot daarmee de rest van het team buiten. 'Hou je kop over mama, oké? En over dat strijken. Je mocht alleen maar mee op deze missie omdat ik dat heb gevraagd. Nou ga je je als de bliksem professioneel gedragen, anders ga je terug naar de grenszone.'

'Oké, Trubs.'

'Trubbels!' schreeuwde kapitein Kelp. 'Ik heet Trubbels. Niet Trubs of Trub. Trubbels! Begrepen?'

'Begrepen, *Trubbels*. Mama heeft gelijk. Je bent nog een baby.'

Kapitein Kelp vloekte heel onprofessioneel en schakelde zijn koptelefoon vervolgens weer over op het open kanaal. Hij was net op tijd om een ongebruikelijk geluid te horen.

'*Arrkk.*'

'Wat was dat?'

'Wat?'

'Kweenie.'

'Niets, kapitein.'

Maar Trubbels had voor zijn kapiteinsexamen een stage Geluiden Herkennen gedaan, en hij wist vrijwel zeker dat het 'Arrkk' veroorzaakt was door iemand die een stoot tegen zijn luchtpijp had gekregen. Waarschijnlijk was zijn broer een struik in gelopen.

'Wurm? Alles goed met je?'

'Voor jou is het korporaal Wurm, hoor.'

Kelp gaf een gemene schop tegen een madeliefje. 'Meld je. Geef een sein, in goede volgorde.'

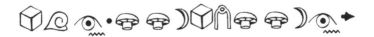

'Eén, oké.'

'Twee, in orde.'

'Drie, verveeld maar in leven.'

'Vijf nadert de westvleugel.'

Kelp bleef stokstijf staan. 'Wacht! Vier? Vier, ben je daar? Waar bevind je je?'

'...'

Niets, alleen maar ruis.

'Oké. Vier ligt plat. Misschien een storing van de apparatuur. We kunnen echter geen risico's nemen. Verzamelen bij de hoofdingang.'

Beveiliging I kroop bij elkaar, en maakte daarbij nog minder geluid dan een zijdespin. Kelp telde snel even de hoofden. Elf. Volle sterkte, op één na. Vier dwaalde waarschijnlijk ergens bij de rozenstruiken rond, zich afvragend waarom niemand wat tegen hem zei.

Toen vielen Trubbels twee dingen op: allereerst stak er een paar zwarte laarzen uit een struik naast de deur, en ten tweede stond er een enorme mens in de deuropening. De gestalte hield een heel akelig uitziend geweer in de holte van zijn arm.

'Algehele stilte,' fluisterde Kelp, en onmiddellijk gleden elf gezichtsvizieren omlaag om de geluiden van de ademhaling en de gesprekken van zijn team binnen te sluiten.

'Oké. Geen paniek. Ik geloof dat ik de volgorde van de gebeurtenissen wel kan nagaan. Vier hangt ergens bij de deur rond, de Modderman doet hem open, vier krijgt een dreun op zijn knar en belandt in de struiken. Niets aan de hand. Onze dekking is intact. Ik herhaal: intact. Dus geen zenuwachtig gedoe. Wurm... Sorry, korporaal Kelp, controleer de vitale functies van Vier. De rest maakt ruimte en houdt zich stil.'

126

Het team liep voorzichtig achteruit tot ze op de zorgvuldig onderhouden grasrand stonden. De figuur voor hen was inderdaad erg indrukwekkend – hij was zonder meer de grootste mens die ze ooit hadden gezien.

'D'Arvit,' fluisterde Twee.

'Behoud de radiostilte, behalve in noodgevallen,' beval Kelp. 'Vloeken kun je toch moeilijk een noodgeval noemen.' Diep in zijn hart deelde Trubbels dit gevoel echter wel. Dit keer was hij blij dat hij een schild droeg. Die man zag eruit alsof hij in één gigantische vuist wel een stuk of zes elfjes tegelijk kon fijnknijpen.

Wurm keerde terug naar zijn positie. 'Vier is stabiel. Hersenschudding, denk ik, maar verder oké. Zijn schild is hij wel kwijt, dus ik heb hem in de struiken verstopt.'

'Goed zo, korporaal. Slimme zet.'

Het laatste waar ze op zaten te wachten was dat de laarzen van Vier werden ontdekt.

De man bewoog zich en kuierde op zijn gemak over het pad. Misschien keek hij wel naar links of naar rechts, dat was moeilijk te zeggen door de capuchon die hij over zijn ogen getrokken had. Vreemd dat een mens op zo'n mooie nacht een capuchon droeg.

'Veiligheidspallen af!' beval Trubbels.

Hij kon zich voorstellen dat zijn mannen met hun ogen rolden. Alsof ze hun veiligheidspallen er het afgelopen half uur al niet afgehaald hadden. Maar ja, je moest volgens het boekje te werk gaan, voor het geval er later een onderzoek zou komen. Er was een tijd geweest waarin een Beveiligings-team eerst schoot en nooit vragen beantwoordde. Maar dat was vroeger. Nu was er altijd wel een of andere ijverige burger die maar

doordramde over de burgerrechten – zelfs voor mensen, het was niet te geloven.

De menselijke berg bleef staan, midden tussen het team. Als hij in staat was geweest hen te zien, zou het de ideale tactische positie zijn geweest. Hun eigen vuurwapens waren min of meer onbruikbaar, aangezien ze elkaar waarschijnlijk meer schade zouden toebrengen dan de mens.

Gelukkig was het hele team onzichtbaar, met uitzondering van Vier, die veilig opgeborgen was in iets wat een rododendron leek te zijn.

'Zoemstokken. In de aanslag.'

Voor het geval dat. Voorzichtigheid was geboden.

De elfBI-officieren zetten hun wapen aan, en precies op het moment dat ze met de holsters aan het rommelen waren, begon de Modderman te praten.

'Goedenavond, heren,' zei hij, terwijl hij zijn capuchon naar achteren schoof.

Grappig, dacht Trubbels. Het was net of... Toen zag hij de provisorische schutbril.

'Dekking!' schreeuwde hij. 'Dekking!'

Maar het was al te laat. Er was geen andere optie dan het gevecht aan te gaan. En dat was helemaal geen optie.

Butler had ze vanaf de borstwering al kunnen pakken. Eén voor één met het geweer van de ivoorjager. Maar dat was niet volgens plan. Indruk maken, daar ging het allemaal om. Een signaal geven. Bij alle politiemachten ter wereld was het de standaardprocedure om eerst het kanonnenvlees te sturen en dan pas de onderhandelingen te openen. Ze gingen er al bijna van uit dat ze op verzet zouden stuiten, en daar wilde Butler

maar al te graag aan tegemoetkomen.

Hij gluurde door de brievenbus naar buiten, en, o, wat een toeval, daar staarde een paar bebrilde ogen hem ook recht aan. Het was te toevallig om ongemerkt voorbij te laten gaan.

'Bedtijd,' zei Butler, terwijl hij de deur met een enorme schouder openduwde. De elf vloog een paar meter door de lucht en belandde toen in de struiken. Juliet zou er kapot van zijn. Ze was dol op rododendrons. Eentje was er al uitgeschakeld. Nu de rest nog.

Butler trok de puntige capuchon van zijn jasje omhoog en stapte het portaal in. En daar stonden ze hoor, van elkaar af opgesteld als een team Action Men. Als ze niet zo'n zeer vakkundig ogend wapenarsenaal aan hun riem hadden hangen, zou het bijna lachwekkend zijn geweest.

Butler liet zijn vinger nonchalant om de trekker glijden en ging tussen hen in staan. De dikke, op twee uur, gaf de bevelen. Dat kon je zien aan de hoofdjes, die allemaal zijn kant op wezen.

De leider gaf een bevel en het team schakelde over op contactwapens. Dat was verstandig, want met vuurwapens zouden ze elkaar maar in mootjes hakken. Tijd om in actie te komen.

'Goedenavond, heren,' zei Butler. Hij kon er niets aan doen, en het was dat ene moment van algehele verwarring wel waard. Toen had hij zijn geweer in de aanslag en vuurde hij.

Kapitein Kelp was het eerste slachtoffer – een pijl met titanium punt doorboorde de hals van zijn pak. Hij zakte langzaam in elkaar, alsof de lucht in water was veranderd. Er gingen nog twee leden van het team neer voor ze ook maar het flauwste vermoeden hadden wat er gaande was.

Dat moet behoorlijk traumatisch zijn, dacht Butler onaangedaan, zomaar een voorsprong verliezen die je al eeuwen hebt.

Inmiddels had de rest van Beveiliging I hun zoemstokken aangezet en in de aanslag. Maar ze maakten de vergissing dat ze zich terughoudend opstelden, wachtend op een bevel dat maar niet wilde komen. Hierdoor kreeg Butler de gelegenheid hen aan te vallen. Alsof hij nog meer voorsprong nodig had.

Maar toch aarzelde de bediende even. Deze wezentjes waren zo klein. Net kinderen. Toen sloeg Wurm hem met zijn zoemstok tegen zijn elleboog en joeg duizend volt door Butlers borst. Alle sympathie voor het kleine volkje was als bij toverslag verdwenen.

Butler greep de stok die hem had geraakt en slingerde het wapen en de drager ervan weg alsof het een rugbybal was. Wurm krijste toen hij werd losgelaten, en zijn nieuw verworven vaart sloeg hem recht tegen drie kameraden aan.

Butler ging nog even door met de zwaaibeweging en gaf twee andere elfen een bestraffende beuk tegen hun borst. Weer een andere elf klauterde op zijn rug en stak hem herhaalde malen met de stok. Butler viel boven op hem. Er kraakte iets en de steken hielden op.

Plotseling had hij de loop van een geweer onder zijn kin. Een van de leden van de eenheid was erin geslaagd zijn wapen te spannen.

'Verroer je niet, Modderman,' dreunde een door de helm gefilterde stem. Zo te zien was het een echt wapen – er borrelde koelvloeistof langs de loop. 'Geef me één goede reden en je gaat eraan.'

Butler rolde met zijn ogen. Een ander ras, maar dezelfde

machoclichés. Hij gaf de elf met vlakke hand een klap. Voor het kleine mannetje moet het gevoeld hebben alsof de hemel op zijn hoofd neerkwam.

'Is dat reden genoeg?'

Butler krabbelde overeind. Overal om hem heen lagen elfenlichamen in verschillende stadia van shock en bewusteloosheid. Doodsbang, dat zonder meer. Dood, waarschijnlijk niet. Missie voltooid.

Eén ventje deed echter alsof. Dat kon je zien aan de manier waarop zijn kleine knietjes tegen elkaar bibberden. Butler plukte hem aan zijn hals omhoog – zijn vinger en duim pasten er met gemak omheen.

'Naam?'

'W-Wurm. Ik bedoel: korporaal Kelp.'

'Nou, korporaal, vertel je commandant dat de volgende keer dat ik hier gewapende troepen zie binnenkomen, ze door sluipschutters onder vuur zullen worden genomen. Geen pijlen meer. Pantserdoorborende kogels.'

'Ja, meneer. Sluipschutters. Begrepen. In orde.'

'Mooi. Het is evenwel toegestaan de gewonden weg te halen.'

'Heel vriendelijk van u.'

'Maar als ik bij de verplegers ook maar de minste geringste glinstering van een wapen zie, zou ik wel eens in de verleiding kunnen komen een paar van de mijnen die ik in de grond heb gestopt tot ontploffing te brengen.'

Wurm slikte en zijn gezicht achter het vizier werd nog bleker. 'Ongewapende verplegers. Kristalhelder.'

Butler zette de elf op de grond en veegde met zijn enorme vingers over diens tuniek. 'Nu. Nog één ding. Luister je?'

Heftig geknik.

'Ik wil een onderhandelaar. Iemand die beslissingen kan nemen. Niet een of ander rangloos type dat na elk verzoek snel terug moet naar de basis. Begrepen?'

'In orde. Althans, ik neem aan dat dat in orde is. Jammer genoeg ben ik een van die rangloze types. Dus kan ik, zoals u zult begrijpen, niet echt garanderen dat het in orde komt...'

Butler voelde er veel voor om dit kleine ventje terug naar zijn kamp te schoppen. 'Prima. Ik begrijp het. Maar... hou je bek!'

Wurm wilde bijna iets instemmends zeggen, maar klemde toen zijn mond dicht en knikte.

'Mooi. Voor je gaat, zoek je alle wapens en helmen bij elkaar en die leg je daar op een stapel.'

Wurm haalde diep adem. Nou ja, hij kon net zo goed als een held sterven. 'Dat mag ik niet.'

'Ach, je meent het. En waarom wel niet?'

Wurm verhief zich tot zijn volle lengte. 'Een elfbi-officier doet nooit afstand van zijn wapen.'

Butler knikte. 'Lijkt me redelijk. Maar ik dacht: ik vraag het toch. Opgehoepeld dan maar.'

Wurm kon zijn oren bijna niet geloven en haastte zich terug naar de commandotoren. Hij was de laatste elf die het strijdperk verliet. Trubbels lag te ronken tussen de kiezels, maar hij, Wurm Kelp, had het Moddermonster overbluft. Wacht maar tot mama dat zou horen.

Holly zat op de rand van haar bed, met haar vingers om de metalen onderkant geslagen. Ze stond langzaam op en tilde daarbij, het gewicht op haar armen overbrengend, het bed de lucht in. Door de spanning dreigden haar ellebogen bijna te knappen. Ze hield dit een seconde vol en sloeg het frame toen

tegen het beton. Rond haar knieën wervelde een voldoening schenkende wolk stof en splinters op.

'Mooi,' bromde ze.

Holly keek naar de camera. Ze hielden haar ongetwijfeld in de gaten. Geen tijd te verliezen. Ze kromde haar vingers en herhaalde de handeling keer op keer, tot de stalen onderkant diepe striemen in haar vingerkootjes achterliet. Bij elke dreun sprongen er meer splinters van het pas gestorte beton.

Een paar ogenblikken later zwaaide de celdeur open en stormde Juliet naar binnen. 'Wat ben je aan het doen?' hijgde ze. 'Probeer je het huis af te breken?'

'Ik heb honger!' schreeuwde Holly. 'En ik heb er schoon genoeg van om naar die stomme camera te moeten zwaaien. Geven jullie je gevangenen hier soms niet te eten? Ik wil eten!'

Juliets vingers balden zich tot een vuist. Artemis had haar gemaand beleefd te blijven, maar dit ging alle perken te buiten. 'Maar daarom hoef je nog niet zo over je toeren te raken. Nou, wat eten elfen zoal?'

'Heb je dolfijn?' vroeg Holly sarcastisch.

Juliet huiverde. 'Nee, natuurlijk niet, beest!'

'Dan maar fruit. Of groenten. Zorg wel dat ze gewassen zijn. Dat chemische vergif van jullie wil ik niet in mijn bloed hebben.'

'Haha, wat een opgewonden standje ben jij! Maak je maar geen zorgen, al onze producten worden op natuurlijke wijze geteeld.' Juliet liep naar de deur, maar bleef toen even staan. 'En vergeet vooral de regels niet. Niet uit het huis proberen te ontsnappen. En je hoeft ook het meubilair niet aan gort te slaan. Daag me alsjeblieft niet uit om mijn dubbele nelson te demonstreren.'

133

Zodra Juliets voetstappen waren weggestorven, ging Holly weer verder met het bed tegen het beton te smakken. Zo zaten elfenafspraken in elkaar. De instructies moesten persoonlijk gegeven worden en ze moesten heel precies zijn. Zomaar zeggen dat je iets niet hóefde te doen betekende niet dat een elf dat dan ook echt niet mócht doen. Trouwens, Holly was helemaal niet van plan het huis te ontvluchten, maar dat betekende nog niet dat ze niet van plan was uit haar cel te ontsnappen.

Artemis had nog een extra monitor aangesloten. Deze was verbonden met een camera op de zolderkamer van Angeline Fowl. Hij nam even de tijd om te kijken hoe het met zijn moeder ging. Soms vond hij het toch geen prettig idee dat hij een camera in haar kamer had staan – het leek bijna alsof hij aan het spioneren was. Maar het was voor haar eigen bestwil. Er bestond altijd het gevaar dat ze zichzelf iets aandeed. Op dit moment lag ze vredig te slapen, aangezien ze de slaappil had ingenomen die Juliet voor haar op het dienblad had neergelegd. Dat was allemaal onderdeel van het plan. Een heel belangrijk onderdeel, toevallig.

Butler kwam de controlekamer binnen. Hij had een heleboel elfenhardware in zijn hand en wreef in zijn nek. 'Vervelende kliertjes.'

Artemis keek op van de monitoren. 'Is er iets?'

'Niks ergs. Die stokjes delen behoorlijke klappen uit. Hoe gaat het met onze gevangene?'

'Prima. Juliet is wat te eten voor haar aan het halen. Ik ben bang dat kapitein Short een beetje suf aan het worden is van de opsluiting.'

Op het scherm was te zien hoe Holly haar bed tegen het beton smakte.

'Heel begrijpelijk,' merkte de bediende op. 'Ik kan me haar frustratie goed voorstellen. Het is niet bepaald zo dat ze zich een weg naar buiten kan graven.'

Artemis glimlachte. 'Nee. Het hele huis is op een ondergrond van kalksteen gebouwd. Zelfs een dwerg kan zich hierdoor niet een weg naar buiten graven. Of naar binnen.'

Dat had hij mis. Helemaal mis. Een historisch moment voor Artemis Fowl.


De elfвɪ had procedures voor noodgevallen als deze. Toegegeven, daar viel niet onder dat het hele Beveiligings-team door één enkele vijand verslagen werd. Dat maakte de volgende stap echter des te dringender, vooral omdat er al een heel vaag zweempje oranje door de lucht kroop.

'Zijn we er klaar voor?' brulde Root in zijn microfoon, alsof die niet fluistergevoelig was.

Zijn we er klaar voor, dacht Foaly, die druk bezig was de laatste schotel op de wachttoren vast te maken. Die militaire types toch, met hun clichés – 'zijn we er klaar voor', 'in de aanslag', 'ik heb het van horen zeggen', 'heel onzeker allemaal'. Hardop zei hij: 'U hoeft niet te schreeuwen, commandant. Die koptelefoons registreren zelfs een spin die zich op Madagascar zit te krabben.'

'En is er een spin op Madagascar die zich zit te krabben?'

'Nou, eh... dat weet ik niet. Ze kunnen zich toch niet echt—'

'Verander dan niet steeds van onderwerp, Foaly, en geef antwoord op de vraag!'

De centaur trok een boos gezicht. De commandant nam alles

zo letterlijk. Hij plugde het modem van de schotel in zijn laptop.

'Oké. We zijn... er klaar voor.'

'Dat werd tijd. Goed, zet de knop maar om.'

Voor de derde keer in even zovele momenten, knarste Foaly zijn paardentanden. Hij was inderdaad het schoolvoorbeeld van een miskend genie. Zet de knop maar om, godbetert. Root had niet de hersencapaciteit om te kunnen waarderen wat hij voor elkaar probeerde te krijgen.

De tijd stilzetten was niet bepaald een kwestie van op de aanknop drukken: er kwam een hele reeks verfijnde procedures bij kijken die met de grootst mogelijke precisie moest worden uitgevoerd. Anders zou de stopzone wel eens kunnen eindigen als een berg as en radioactief afval.

Het was waar dat elfen al millennia lang de tijd zo nu en dan stilzetten, maar met de satellietverbindingen en het internet van tegenwoordig zouden mensen het merken als in een zone zomaar voor een paar uur de tijd uitviel. Er was een periode geweest waarin je een deken van tijdsonderbreking over een heel land kon gooien, en dan dacht het Moddervolk alleen maar dat de goden boos waren. Maar dat was verleden tijd. Tegenwoordig hadden de mensen instrumenten waar ze alles mee konden meten, dus als de tijd ergens stilgezet moest worden, dan kon het maar beter heel goed afgestemd en zeer precies gebeuren.

In de oude tijd vormden vijf elfentovenaars een vijfhoek rond het doelwit en spreidden ze er een magisch schild over uit, waardoor binnen de betoverde omheining de tijd tijdelijk werd stilgezet.

Dat was allemaal goed en wel, maar als de tovenaars naar de

wc moesten, ging het verkeerd. Heel wat belegeringen werden verloren omdat een elf een glaasje wijn te veel had gedronken. Ook worden tovenaars snel moe, en krijgen ze pijn in hun armen. Als je een goeie dag had, kreeg je misschien anderhalf uur, en dat was om te beginnen al nauwelijks de moeite waard.

Het was Foaly's idee geweest om de hele procedure te mechaniseren. Hij liet de tovenaars hun kunstje in lithiumbatterijen stoppen, en zette toen een netwerk op van ontvangstschotels over het hele aangegeven gebied. Klinkt dat eenvoudig? Nou, dat was het niet. Maar het had beslist zijn voordelen. Om te beginnen was er geen machtsstrijd meer – batterijen probeerden elkaar niet af te troeven. Je kon precies berekenen hoeveel krachteenheden je nodig had, en een belegering kon tot acht uur worden verlengd.

Het geval wilde dat het landgoed Fowl de perfecte lokatie was voor een tijdsstop: geïsoleerd en met een duidelijke grens. Het had notabene hoge torens voor de schotels. Het was bijna of Artemis Fowl wílde dat de tijd werd stilgezet... Foaly's vinger aarzelde boven de knop. Zou dat kunnen? De jeugdige mens was hen immers tijdens deze hele affaire voortdurend een stap vóór geweest. 'Commandant?'

'Zijn we al on-line?'

'Niet echt. Er is iets...'

Root reageerde zo fel dat de luidsprekers in Foaly's koptelefoon bijna aan gort vlogen. 'Nee, Foaly! Er is níet iets! Geen slimme plannetjes dit keer. Het leven van kapitein Short is in gevaar, dus druk op die knop of ik klim de toren op en douw je er met je gezicht tegenaan!'

'Prikkelbaar,' mompelde Foaly, en hij drukte op de knop.

Luitenant Knuppel controleerde zijn maan-o-meter. 'U hebt acht uur.'

'Ik weet best hoe veel tijd ik heb,' gromde Root. 'En loop niet achter me aan. Moet je niet aan het werk?'

'Nu u het zegt: ik moet een biobom scherpstellen.'

Root viel woedend tegen hem uit. 'Val me niet lastig, luitenant. Als jij om de haverklap opmerkingen zit te maken, kan ik me niet concentreren. Doe vooral wat je niet laten kunt, maar hou er rekening mee dat je dat voor de onderzoeks-commissie zult moeten verantwoorden. Als dit verkeerd gaat, zullen er koppen rollen.'

'Zeg dat wel,' mompelde Knuppel zachtjes, 'maar niet die van mij.'

Root tuurde de lucht af. Een glinsterend diepblauw scherm was over landgoed Fowl neergedaald. Mooi. Ze bevonden zich in de tijdafsluiting. Buiten de muren ging het leven in een overdreven tempo verder, maar als iemand hier, ondanks de verstevigde muren en de hoge poort binnen zou komen, zouden ze het uitgestorven aantreffen, met alle bewoners gevangen in het verleden.

De komende acht uur zou dus de schemering op het landgoed Fowl heersen. Daarna kon Root Holly's veiligheid niet garanderen. Gezien de ernst van de situatie lag het voor de hand dat Knuppel het signaal zou geven om het hele spul te biobombarderen. Root had al eens eerder een blauwspoeling meegemaakt. Daar ontkwam geen enkel levend wezen aan, zelfs ratten niet.

Root haalde Foaly aan de voet van de noordelijke toren in. De centaur had een shuttle bij de metersdikke muur neergezet. Op

de werkplek was het nu al een wirwar van draden en kloppende vezeloptica.

'Foaly? Zit je binnen?'

Uit de buik van een leeggehaalde harddrive kwam het met folie beklede hoofd van de centaur te voorschijn.

'Hier ben ik, commandant. Ik neem aan dat u hier bent om mij met mijn gezicht op een knop te douwen?'

Root moest bijna lachen. 'Ga me niet vertellen dat je een excuus wilt, Foaly. Ik heb mijn portie al gehad voor vandaag. En dat was aan het adres van een jeugdvriend.'

'Knuppel? Neem me niet kwalijk, commandant, maar ik zou mijn excuses niet aan de luitenant verspillen. Die verspilt hij ook niet aan u als hij u in de rug steekt.'

'Je vergist je in hem. Knuppel is een goede officier. Een beetje te gretig, dat klopt, maar als het moment daar is, zal hij doen wat goed is.'

'Wat goed is voor hemzelf misschien. Ik denk niet dat Holly boven aan zijn prioriteitenlijstje staat.'

Root gaf geen antwoord. Dat kon hij niet.

'En dan nog iets. Ik heb zo'n donkerbruin vermoeden dat de jonge Artemis Fowl wíl dat wij de tijd stilzetten. Met al het andere wat we hebben geprobeerd, hebben we hem immers recht in de kaart gespeeld.'

Root wreef over zijn slapen. 'Dat is onmogelijk. Hoe kan een mens nou op de hoogte zijn van het stilzetten van de tijd? Hoe dan ook, dit is niet het moment om daarover te theoretiseren, Foaly. Ik heb krap acht uur om deze klus te klaren. Nou, wat heb je voor me?'

Foaly klepperde naar een rek met apparatuur dat tegen de muur stond. 'Geen zware bewapening, zoveel is zeker. Niet na

139

wat er met Beveiliging I is gebeurd. Ook geen helm. Die beestachtige Modderman schijnt ze te verzamelen. Nee, om te laten zien dat u te vertrouwen bent, laten we u ongewapend en ongepantserd naar binnen gaan.'

Root snoof. 'Uit wat voor handboek heb je dat?'

'Standaardprocedure. Vertrouwen wekken bespoedigt de communicatie.'

'O, hou toch op met die citaten en geef me iets om mee te schieten.'

'Zoals u wilt,' verzuchtte Foaly, terwijl hij iets uit het rek koos wat op een vinger leek.

'Wat is dat?'

'Dat is een vinger. Waar lijkt het op?'

'Op een vinger,' gaf Root toe.

'Ja, maar geen gewone vinger.' Hij keek om zich heen om er zeker van te zijn dat niemand meekeek. 'In de vingertop zit een drukpijl. Maar één schot. U tikt met uw duim tegen de knokkel en dan gaat er iemand slapies doen.'

'Waarom heb ik dat nog nooit eerder gezien?'

'Het is nogal een illegaal ding...'

'En?' vroeg Root wantrouwend.

'Nou, er zijn wel ongelukken mee gebeurd...'

'Vertel op, Foaly.'

'Onze agenten vergeten steeds dat ze ze aan hebben.'

'Je bedoelt dat ze zichzelf neerschieten?'

Foaly knikte mistroostig. 'Een van onze beste elfen zat een keer in zijn neus te peuteren. Heeft drie dagen kritiek gelegen.'

Root schoof de geheugenlatex om zijn wijsvinger, waar hij onmiddellijk de vorm en de huidskleur van de gastvinger aannam. 'Maak je geen zorgen, Foaly, ik ben niet op mijn

achterhoofd gevallen. Verder nog iets?'

Foaly haalde iets van het rek met apparatuur wat op een nepachterwerk leek.

'Dat meen je niet! Wat kun je daarmee?'

'Niets,' gaf de centaur toe. 'Maar daar krijg je op een feestje altijd de lachers mee op je hand.'

Root grinnikte. Twee keer. Dat was een hele uitspatting voor hem.

'Oké, genoeg gedold. Krijg ik nog verbinding?'

'Natuurlijk. Een iriscamera. Wat voor kleur?' Hij keek de commandant in de ogen. 'Hm. Modderbruin.' Hij pakte een klein flesje van de plank en haalde een elektronische contactlens uit een capsule met vloeistof. Hij hield Roots oogleden met duim en wijsvinger open en schoof de iriscamera erin. 'Het kan zijn dat het gaat irriteren. Probeer niet te wrijven, want dan kan hij aan de achterkant van uw oog terechtkomen. En dan kijken we in uw hoofd, en weten we allemaal dat daar niets interessants te zien valt.'

Root knipperde met zijn ogen en bedwong de aandrang in zijn tranende oog te wrijven. 'Dat was het?'

Foaly knikte. 'Meer durven we niet aan.'

De commandant stemde met tegenzin in. Zijn heup voelde heel licht aan nu er geen driedubbelloops revolver aan bungelde.

'Oké. Dan vrees ik dat ik het met deze geweldige vingerpijl zal moeten doen. Op mijn woord, Foaly: als dat ding in mijn gezicht explodeert, zit jij op de eerste de beste shuttle terug naar Haven.

De centaur hinnikte. 'Als u maar voorzichtig bent op de wc.'

Root kon er niet om lachen. Over sommige dingen maakte je nu eenmaal geen grapjes.

141

Artemis' horloge was blijven stilstaan. Het was alsof de tijd gewoon niet meer bestond. Of misschien, zo mijmerde Artemis, zijn wij degenen die zijn verdwenen. Hij controleerde CNN. Dat was stil blijven staan. Op het scherm bibberde een afbeelding van Riz Khan. Artemis kon een tevreden glimlach niet onderdrukken. Ze hadden het gedaan, precies zoals in het Boek stond. De elfBI had de tijd stilgezet. Geheel volgens plan.

Hoog tijd om een theorie te testen. Artemis reed met zijn stoel naar de monitortafel en keek naar de Mam Cam, op de grote 28 inch monitor. Angeline Fowl lag niet meer op de bank. Artemis liet de camera de kamer rond draaien. Die was leeg. Zijn moeder was weg. Verdwenen. Hij glimlachte breeduit. Uitstekend. Precies wat hij had gedacht.

Artemis verplaatste zijn aandacht nu naar Holly Short. Die was weer met het bed aan het rammen. Zo nu en dan stond ze op van het matras en beukte met haar blote vuisten tegen de muur. Misschien was het meer dan alleen maar frustratie. Zou er systeem in haar razernij zitten? Hij tikte met een slanke vinger tegen de monitor. 'Wat voer je in je schild, kapitein? Wat voor plannetje heb je?'

Hij werd afgeleid door een beweging op de monitor van de oprijlaan. 'Eindelijk,' fluisterde hij. 'Het spel begint.'

Er liep een figuurtje over de laan richting het landhuis. Klein, maar niettemin indrukwekkend. En nog zonder schild ook. Eindelijk was het dus afgelopen met die poppenkast.

Artemis drukte op de knop van de intercom. 'Butler? We hebben een gast. Ik zal hem binnenlaten. Kom hier naartoe, dan kun je de bewakingscamera's in de gaten houden.'

Butlers stem kwam blikachtig terug door de speaker.

'Begrepen, Artemis. Ik kom eraan.'

Artemis knoopte zijn John Rocha-jasje dicht en bleef even voor de spiegel staan om zijn das recht te trekken. Bij onderhandelingen ging het erom dat je alle kaarten in handen had, en dat je, als dat niet zo was, deed alsof je ze wel had.

Artemis zette zijn beste onheilspellende gezicht op. Slecht, zei hij bij zichzelf, slecht, maar wel bijzonder intelligent. En vastberaden – vergeet vooral niet vastberaden te kijken. Hij legde een hand op de klink. Rustig nu. Diep ademhalen, en probeer niet te denken aan de kans dat je deze situatie verkeerd hebt beoordeeld en dat je zometeen wordt doodgeschoten. Een, twee, drie...

Hij deed de deur open.

'Goedenavond,' zei hij, op en top de hoffelijke gastheer, zij het een onheilspellende, slechte, bijzonder intelligente en vastberaden gastheer.

Root stond op de stoep, met zijn handpalmen omhoog in het universele gebaar van 'Kijk, ik heb geen enorm moordwapen bij me'.

'Bent u Fowl?'

'Artemis Fowl, aangenaam. En u bent?'

'Elfʙɪ-commandant Root. Goed, we weten nu van elkaar hoe we heten, dus zullen we terzake komen?'

'Natuurlijk.'

Root besloot het erop te wagen. 'Wilt u dan naar buiten komen? Zodat ik u kan zien?'

Artemis' gezicht verhardde. 'Hebt u dan niets van mijn demonstraties geleerd? Het schip? Uw commando's? Moet ik iemand doden?'

'Nee,' zei Root snel. 'Ik wilde alleen—'

'U wilde me alleen maar naar buiten lokken zodat ik vastgegrepen kon worden en u mij als ruilmiddel kunt gebruiken. Alstublieft, commandant Root, staak uw spel of stuur iemand die intelligent is.'

Root voelde het bloed door zijn wangen pompen. 'Nu moet jij eens goed luisteren, jonge— '

Artemis glimlachte – hij had de touwtjes weer in handen. 'Dat zijn niet erg goede onderhandelingstechnieken, commandant, als u uw zelfbeheersing al verliest voor we zelfs maar om de tafel zitten.'

Root haalde een paar keer diep adem. 'Oké. Je zegt het maar. Waar wil je dat we ons gesprek voeren?'

'Binnen natuurlijk. U hebt mijn toestemming om binnen te komen, maar bedenk wel dat het leven van kapitein Short in uw handen ligt. Wees daar voorzichtig mee.'

Root volgde zijn gastheer door de gewelfde hal. Hele generaties Fowls keken uit de klassieke portretten op hem neer. Ze liepen door een oud-eiken deur naar een lange vergaderzaal. Aan de ronde tafel was op twee personen gerekend, compleet met schrijfblokken, asbakken en waterkannen.

Root was blij dat hij de asbakken zag en trok meteen een half afgekauwde sigaar uit zijn jasje. 'Misschien ben je dan toch niet zo'n erge barbaar als ik dacht,' gromde hij, terwijl hij een enorme wolk groene rook uitblies. De commandant negeerde de waterkannen en schonk zichzelf in plaats daarvan een scheut in van iets paarsigs uit een heupflacon. Hij nam een grote slok, boerde en ging zitten.

'Klaar?' Artemis grabbelde zijn papieren bij elkaar, als een nieuwslezer. 'Dit is de situatie zoals ik het zie. Ik heb de middelen om uw onderaardse bestaan aan het daglicht te

144

brengen, en u bent niet bij machte me tegen te houden. Dus het komt er eigenlijk op neer dat alles wat ik u vraag maar een klein offer is.'

Root spuugde een sliertje zwamtabak uit. 'Je denkt zeker dat je al deze informatie zomaar via internet kunt verspreiden?'

'Nou, niet meteen. In elk geval niet zolang die tijdsstop in werking is.'

Root stikte bijna in een long vol rook. *Hun troefkaart*. Hij had het door. 'Tja, als je al weet over de tijdsstop, dan zul je ook wel weten dat je volledig van de buitenwereld bent afgesneden. Dat je in feite machteloos bent.'

Artemis kriebelde iets op het schrijfblok. 'Laten we het even kort houden. Ik heb schoon genoeg van dat onhandige gebluf van u. Als zich een ontvoering voordoet, zal de elfBI eerst een eliteteam sturen om terug te vinden wat is kwijtgeraakt. Dat hebt u al gedaan. Mag ik even lachen? Eliteteam? Doe me een lol. Een stelletje padvinders met waterpistolen had ze nog kunnen verslaan.'

Root kookte in stilte van woede en reageerde die op de sigaren-peuk af.

'De volgende officiële stap is de onderhandeling. En tot slot, als de tijdslimiet van acht uur bijna om is en er geen oplossing is gevonden, wordt er een biobom tot ontploffing gebracht, binnen de perken gehouden door het tijdsveld.'

'Je schijnt verdomd veel over ons te weten, meester Fowl. Je gaat me zeker niet vertellen hoe je dat allemaal weet?'

'Klopt.'

Root drukte de rest van zijn sigaar uit in de kristallen asbak. 'Goed, laat maar eens horen, wat zijn je eisen?'

'Het is er maar één. Enkelvoud.'

Artemis schoof zijn schrijfblok over de geboende tafel. Root las was daar geschreven stond.

'Een ton vierentwintig karaats goud. Alleen kleine, ongemerkte staven.'

'Dat kun je niet menen.'

'Jawel hoor, dat meen ik wel.'

Root schoof naar voren in zijn stoel. 'Begrijp je het dan niet? Je positie is onhoudbaar. Of je geeft ons kapitein Short terug, of we zijn genoodzaakt jullie allemaal te doden. Er is geen tussenweg mogelijk. Wij onderhandelen niet. Niet echt. Ik ben hier alleen maar om je de feiten uit te leggen.'

Artemis glimlachte zijn vampierglimlach. 'O, maar u gaat wel met mij onderhandelen, commandant.'

'Ach, echt waar? Hoe dat zo?'

'Omdat ik weet hoe ik aan het tijdsveld moet ontsnappen.'

'Onmogelijk,' snoof Root. 'Dat kan niet.'

'Jawel hoor, dat kan wel. Geloof mij maar, want ik heb nog nooit ongelijk gekregen.'

Root scheurde het bovenste blad eraf, vouwde het op en stak het in zijn zak. 'Ik moet erover nadenken.'

'Neem de tijd. We hebben acht uur, neem me niet kwalijk, zeveneneenhalf uur, en dan zit de tijd er voor iedereen op.'

Root zei een hele tijd niets en tikte met zijn nagels op het tafelblad. Hij haalde adem om iets te gaan zeggen, bedacht zich toen en stond abrupt op. 'We houden contact. Doe geen moeite, ik kom er wel uit.'

Artemis schoof zijn stoel naar achteren. 'Doe dat. Maar onthoud goed dat niemand van uw ras toestemming heeft om hier binnen te komen zolang ik in leven ben.'

Root schreed de hal door, waarbij hij boos naar de

olieverfschilderijen terugkeek. Hij kon nu beter vertrekken en deze nieuwe informatie verwerken. Dat Fowl-jochie was inderdaad een gewiekste tegenstander. Toch maakte hij één grote fout: de veronderstelling dat Root het spel volgens de regels zou spelen, maar Julius Root had zijn commandanten-onderscheiding niet gekregen door wat voor regels dan ook te volgen. Het was hoog tijd voor wat onorthodoxe actie.

De videoband van de iriscamera van Root werd door deskundigen bekeken.

'Kijk, moet je zien,' zei professor Cumulus, een gedrags-specialist. 'Dat trekje... hij liegt.'

'Onzin,' blies dokter Argon, een psycholoog van onder de Verenigde Staten. 'Hij heeft jeuk, meer niet. Hij heeft jeuk, dus hij krabt zich. Daar is niets onheilspellends aan.'

Cumulus draaide zich naar Foaly. 'Moet je hem horen. Je kunt van mij toch niet verwachten dat ik met zo'n charlatan samenwerk?'

'Heksendokter,' wierp Argon tegen.

Foaly hief zijn harige handpalmen. 'Heren, alstublieft. We moeten overeenstemming zien te bereiken. We hebben een duidelijke karakterschets nodig.'

'Het heeft geen enkele zin,' zei Argon. 'Op deze manier kan ik niet werken.'

Cumulus sloeg zijn armen over elkaar. 'Hij mag dan zo niet kunnen werken, maar ik ook niet.'

Root beende door de dubbele deuren van de shuttle naar binnen. Zijn karakteristieke roodpaarse huidskleur was nog donkerroder dan anders. 'Die mens neemt een loopje met ons. Ik duld het niet. Goed, wat hebben onze deskundigen over de band te zeggen?'

Foaly ging een beetje aan de kant staan, zodat de commandant de zogenaamde deskundigen duidelijk in het vizier had. 'Ze schijnen niet op deze manier te kunnen werken.'

Root kneep zijn ogen tot spleetjes samen en stelde daarbij scherp op zijn prooi. 'Pardon?'

'Die brave dokter is een halvegare,' zei Cumulus, niet bekend met het humeur van de commandant.

'B-ben ik een h-halvegare?' stamelde Argon, die daar evenmin bekend mee was. 'En jij dan, grotelf? Je zit de meest onschuldige gebaren met je belachelijke interpretaties te bombarderen.'

'Onschuldig? Die jongen is één en al zenuwen. Hij zit overduidelijk te liegen. Hij is een schoolvoorbeeld.'

Root sloeg met een gebalde vuist op tafel, waardoor een spinnenweb van scheuren door het blad schoot. 'Stilte!'

En het was stil. Onmiddellijk.

'Goed, jullie ontvangen als *deskundigen* een lieve duit voor jullie karakterschetsen, klopt dat?'

Het tweetal knikte, te bang om iets te zeggen – voor het geval ze de stilte!-regel overtraden.

'Dit is waarschijnlijk dé zaak van jullie leven, dus ik wil dat jullie je heel goed concentreren. Begrepen?'

Er werd nogmaals geknikt.

Root wipte de camera uit zijn tranende oog. 'Snel doorspoelen, Foaly. Naar het eind.'

De band sprong schokkerig naar voren. Op het scherm was te zien dat Root achter de mens aan de vergaderzaal in liep.

'Hebbes. Stop daar maar. Kun je op zijn gezicht inzoomen?'

'Kan ik op zijn gezicht inzoomen?' snoof Foaly. 'Kan een dwerg het web onder een spin vandaan stelen?'

'Ja,' antwoordde Root.

'Dat was een retorische vraag, hoor.'

'Ik heb geen taallessen nodig, Foaly. Inzoomen graag.'

Foaly knarste zijn grafsteentanden. 'Oké, baas. Gaan we doen.' De vingers van de centaur gingen met de snelheid van het licht over het toetsenbord. Artemis' gezicht zwol op tot hij het plasmascherm helemaal vulde.

'Ik raad jullie aan te luisteren,' zei Root, terwijl hij de deskundigen in de schouders kneep. 'Dit is een keerpunt in jullie carrière.'

'Omdat ik weet,' zei de mond op het scherm, 'hoe ik aan het tijdsveld moet ontsnappen.'

'Vertel eens,' zei Root, 'liegt hij?'

'Draai nog eens af,' zei Cumulus. 'Laat me de ogen zien.'

Argon knikte. 'Ja. Alleen de ogen.'

Foaly tikte op nog een paar toetsen, en Artemis' donkerblauwe ogen werden tot de breedte van het scherm uitvergroot.

'Omdat ik weet,' galmde de menselijke stem, 'hoe ik aan het tijdsveld moet ontsnappen.'

'Nou, liegt hij?'

Cumulus en Argon keken naar elkaar, en alle sporen van vijandigheid waren verdwenen. 'Nee,' zeiden ze allebei tegelijk.

'Hij spreekt de waarheid,' voegde de gedragswetenschapper eraan toe.

'Of,' lichtte de psycholoog toe, 'hij dénkt dat hij de waarheid spreekt.'

Root depte zijn ogen met een reinigingsvloeistof. 'Dat dacht ik ook. Toen ik die mens in het gezicht keek, dacht ik: hij is of gek, of geniaal.'

Artemis' kille ogen keken hen boos van het scherm aan.

'Nou, welke van de twee is het?' vroeg Foaly. 'Gek of geniaal?'

Root greep zijn driedubbelloops revolver van het wapenrek. 'Wat maakt het uit?' zei hij bits, en hij bond zijn vertrouwde wapen op zijn heup. 'Geef me een buitenlijn naar EI. Die Fowl schijnt al onze regels te kennen, dus het is tijd dat we er eens een paar gaan breken.'

# Turf

We moeten nu een nieuw personage in onze onderwereldse stoet introduceren. Nou, strikt genomen is het geen nieuw personage. We zijn hem al eerder tegengekomen, in de wachtrij voor elfbi-registratie. In voorarrest wegens tal van diefstallen: Turf Graafmans, de kleptomane dwerg. Een naar ventje, zelfs gemeten naar de maatstaven van Artemis Fowl. Alsof dit verhaal al niet genoeg te lijden heeft gehad van een overdosis aan smerige types.

Turf was geboren in een typische dwergenfamilie van grotbewoners en hij had al vroeg gezien dat in de mijnen werken niets voor hem was. Hij besloot zijn talenten op een andere manier te gebruiken, namelijk door diefstal met graafwerk, en dat ging dan meestal om de huizen van het Moddervolk. Dit betekende natuurlijk dat hij zijn toverkracht verspeelde – huizen waren heilig en als je die regel schond, moest je ook bereid zijn de consequenties te accepteren. Turf vond het niet erg. Toverkracht interesseerde hem toch niet zo bijster. In de tunnels kon je daar niet veel mee.

Het was een paar eeuwen lang vrij goed gegaan, en hij had een goedlopend handeltje in bovengrondse souvenirs opgebouwd. Tot hij de Wimbledon-beker aan een undercover elfbi-agent had proberen te verkopen. Vanaf dat moment zat het hem tegen, en hij was tot op heden al meer dan twintig keer

gearresteerd. In totaal driehonderd jaar in en uit de gevangenis.

Van tunnels graven had Turf wel bijzonder de smaak te pakken, en dat bedoelen we jammer genoeg nog letterlijk ook. Voor degenen die niet bekend zijn met de technische kant van hoe dwergen tunnels graven, zal ik proberen het principe zo smaakvol mogelijk uit te leggen. Net als sommige leden van de reptielenfamilie kunnen mannetjesdwergen hun kaken uit hun scharnieren tillen zodat ze een paar kilo aarde per seconde kunnen opnemen. Dit materiaal wordt door een supersnelle stofwisseling verwerkt, ontdaan van alle nuttige mineralen... en aan de andere kant als het ware weer geloosd. Bepaald charmant.

Op dit moment lag Turf in een cel met stenen muren in de centrale elfBI-gevangenis weg te kwijnen. Tenminste, hij probeerde de indruk te wekken van een lusteloos, onverstoorbaar soort dwerg. Maar in werkelijkheid stond hij te schudden in zijn staalgeneusde laarzen.

De bendeoorlog tussen kobolds en dwergen laaide op dat moment net op, en een slimme elfBI-agent had kans gezien hem in een cel te stoppen met een bende opgefokte kobolds. Een vergissing? Misschien. Eerder een wraakoefening, omdat hij de zakken van de agent die hem had gearresteerd had proberen te rollen in de rij voor de registratiebalie.

'Zo, dwerg,' sneerde de koboldleider, een vent met wratten op zijn gezicht en helemaal bezaaid met tattoos. 'Sinds wanneer knaag jij je niet meer een weg naar buiten?'

Turf roffelde op de muren. 'Massieve steen.'

De kobold lachte. 'Nou en? Dat kan toch niet harder zijn dan die dwergenschedel van je.'

Zijn gabbers lachten. Turf ook. Dat leek hem verstandig. *Fout gedacht.*

'Zit je me uit te lachen, dwerg?'

Turf hield op met lachen. 'Nee, ik lach óm je,' corrigeerde hij. 'Die grap over die schedel was heel geestig.'

De kobold kwam dichterbij, tot hij met zijn slijmerige neus een centimeter voor die van Turf stond. 'Zit je me be-lach-e-lijk te maken, dwerg?'

Turf slikte en berekende zijn kansen. Als hij nu los scharnierde, kon hij de leider waarschijnlijk opslokken voor de anderen in het geweer konden komen. Maar kobolds waren een aanslag op je spijsvertering. Heel knokig.

De kobold toverde een vuurbal rond zijn vuist. 'Ik vroeg je wat, dikzak.'

Turf voelde hoe elke zweetklier in zijn lichaam onmiddellijk in de hoogste versnelling schoot. Dwergen hielden niet van vuur. Ze dáchten liever niet eens aan vlammen. In tegenstelling tot de rest van het elfenras hadden dwergen niet de behoefte om boven de grond te leven. Te dicht bij de zon. Ironisch voor iemand in de bedrijfstak Moddervolk Bezits Bevrijding.

'N-niet nodig,' stamelde hij. 'Ik probeerde alleen maar iets aardigs te zeggen.'

'Iets aardigs,' spotte wrattenkop. 'Jouw soort weet niet eens wat dat woord betekent. Lafaards die je in de rug steken, dat is wat jullie zijn.'

Turf knikte diplomatiek. 'We staan erom bekend dat we een beetje verraderlijk zijn.'

'Een beetje verráderlijk! Een béétje verraderlijk! Mijn broer Flegma is in een hinderlaag gelopen van een hele bende dwergen die zich als stronthopen hadden vermomd. Hij zit nog steeds in het verband!'

Turf knikte meelevend. 'De oude truc van de stronthoop. Een

schande. Dat is een van de redenen waarom ik niets met de Broederschap te maken wil hebben.'

Wrattenkop draaide de vuurbal tussen zijn vingers rond. 'Er zijn twee dingen onder deze wereld waar ik een bloedhekel aan heb.'

Turf had het gevoel dat hij op het punt stond erachter te komen wat die dingen waren.

'Nummer één is een stinkende dwerg.'

Dat viel te verwachten.

'En nummer twee is iemand die zijn eigen soort verraadt. En als ik het goed begrijp, val jij precies in allebei die categorieën.'

Turf glimlachte zwakjes. 'Heb ik even geluk.'

'Geluk heeft er niets mee te maken. Het lot heeft je aan mij overgeleverd.'

Op een andere dag had Turf er misschien nog even op gewezen dat geluk en het lot min of meer hetzelfde waren. Maar vandaag niet.

'Hou je van vuur, dwerg?'

Turf schudde zijn hoofd.

Wrattenkop grijnsde. 'Ach, wat jammer nou, want ik ga die vuurbal die ik hier heb zometeen door je strot rammen.'

De dwerg slikte droogjes. Dat was nou weer typisch iets voor de Broederschap der Dwergen. Waar hebben dwergen een hekel aan? Vuur. Wie zijn de enige wezens die vuurballen kunnen toveren? Kobolds. Dus met wie gaan dwergen ruzie maken? Dan heb je toch echt geen verstand.

Turf deinsde achteruit naar de muur. 'Voorzichtig. Zometeen gaan we er allemaal aan.'

'Wij niet,' grijnsde wrattenkop, terwijl hij de vuurbal door twee langwerpige neusgaten opsnoof. 'Volstrekt brandveilig.'

Turf was zich er volkomen van bewust wat er nu zou gaan gebeuren. Hij had het al vaak genoeg in achterafsteegjes zien gebeuren. Een groep kobolds dreef een loslopende dwerg in een hoek, hield hem vast en dan richtte de leider de dubbelloops zo op zijn gezicht.

De neusgaten van wrattenkop trilden – hij maakte zich klaar om de ingeademde vuurbal uit te blazen. Turf sidderde. Hij had nog maar één kans. De kobolds hadden een enorme vergissing begaan. Ze waren vergeten zijn armen vast te zetten.

De kobold haalde adem door zijn mond, en deed hem toen dicht. Nog meer uitademingsdruk voor de vuurstroom. Hij hield zijn hoofd scheef naar achteren, richtte zijn neus op de dwerg en liet los. Bliksemsnel ramde Turf zijn duimen in de neusgaten van wrattenkop. Walgelijk, jazeker, maar in elk geval beter dan dwergenkebab worden.

De vuurbal kon nu nergens meer heen. Hij sprong tegen de bal van Turfs duimen en ketste terug het hoofd van de kobold in. De traanbuisjes vormden de weg van de minste weerstand, dus de vlammen persten zich samen tot een hogedrukstroom en barstten vlak onder de ogen van de kobold naar buiten. Een zee van vuur verspreidde zich over het dak van de cel.

Turf trok zijn duimen terug, veegde ze snel af en stak ze toen in zijn mond, waar de natuurlijke balsem in zijn speeksel het genezingsproces kon beginnen. Als hij zijn toverkracht nog had, zou hij de verschroeide vingers natuurlijk beter gewenst kunnen hebben. Maar dat was de prijs die je betaalde voor een leven vol misdaad.

Wrattenkop zag er niet al te best uit. Uit elke opening van zijn hoofd kwam rook. Ze mogen dan brandveilig zijn, die kobolds, maar de verdwaalde vuurbal had zijn luchtwegen toch

flink verschroeid. Hij slingerde heen en weer als een sliert zeewier en stortte toen in elkaar, met zijn gezicht naar de betonnen vloer. Er kraakte iets. Waarschijnlijk een grote koboldneus.

De andere bendeleden reageerden niet al te positief.

'Kijk nou wat hij met de baas gedaan heeft!'

'Die stinkende dikzak.'

'Kom, we gaan hem braden.'

Turf deinsde nog verder achteruit. Hij had gehoopt dat de overgebleven kobolds bang zouden worden als hun leider niet meer in functie was. Maar dat was duidelijk niet zo. Hoewel het beslist niet in zijn aard lag, zat er voor Turf niets anders op dan maar tot de aanval over te gaan.

Hij scharnierde zijn kaak los en sprong naar voren, waarbij hij zijn tanden rond het hoofd van de eerste kobold klemde.

'Ou, aggeruit,' riep hij om de obstructie in zijn mond heen. 'Aggeruit of 'eze 'riend gaa 'raan!'

De anderen bleven doodstil staan – ze wisten niet goed wat ze nu moesten doen. Ze hadden natuurlijk allemaal wel eens gezien wat dwergenkiezen met een koboldhoofd konden doen. Dat was niet zo'n fijn gezicht.

Ze lieten allemaal een vuurbal in hun vuist omhoogkomen.

'Ju'ie zij gewaassuut!'

'Je kunt ons toch niet allemaal te pakken nemen, dikzak.'

Turf verzette zich tegen de neiging door te bijten. Dat is de sterkste aandrang die dwergen hebben – een genetische herinnering die is voortgekomen uit duizenden jaren lang tunnels graven. Het feit dat de kobold slijmerig aan het kronkelen was, zat hem tegen. Zijn mogelijkheden raakten uitgeput. De bende kwam dichterbij en zolang zijn mond vol

156

was, was hij machteloos. Het was maal-tijd. Sorry voor het woordgrapje.

Plotseling vloog de celdeur open en stroomde de kleine ruimte vol met wat wel een heel eskader aan elfBI-officieren leek. Turf voelde het koude staal van een geweerloop tegen zijn slaap.

'Spuug die gevangene uit,' beval een stem.

Turf gehoorzaamde maar al te graag. Een door en door slijmerige kobold zakte kokhalzend op de grond in elkaar.

'Kobolds, doe ze uit.'

Een voor een werden de vuurballen gedoofd.

'Dat was niet mijn schuld,' jammerde Turf, terwijl hij naar de stuiptrekkende wrattenkop wees. 'Hij heeft zichzelf opge-blazen.'

De officier deed zijn wapen weer in zijn holster en haalde een stel handboeien te voorschijn.

'Het interesseert me geen lor wat jullie elkaar aandoen,' zei hij, terwijl hij Turf ronddraaide en de handboeien vastklikte. 'Als het aan mij lag, zou ik jullie met z'n allen in een grote ruimte zetten en een week later terugkomen om hem schoon te spuiten. Maar commandant Root wil je zSM boven de grond zien.'

'zsM?'

'Nu, en zo mogelijk nog eerder.'

Turf kende Root. De commandant was verantwoordelijk voor verscheidene van zijn bezoekjes aan het overheidshotel. Als Julius hem wilde zien, was het waarschijnlijk niet om samen iets te drinken en naar de film te gaan.

'Nu? Maar het is nu dag. Dan verbrand ik.'

De officier lachte. 'Waar jij heen gaat, is geen daglicht, vriend. Waar jij heen gaat, is helemaal niets.'

Root stond de dwerg voor de toegangspoort van het tijdsveld op te wachten. De toegangspoort was weer zo'n uitvinding van Foaly. Elfen konden het tijdsveld betreden en weer verlaten zonder dat ze daarmee de veranderde stroom in het veld beïnvloedden. Dit betekende in de praktijk dat Turf maar een paar seconden nadat Root opdracht had gegeven hem te halen, in het veld gebracht werd, ook al had het bijna zes uur geduurd om hem naar de oppervlakte te krijgen.

Het was voor Turf de eerste keer dat hij in een tijdsveld kwam. Hij keek toe hoe het leven buiten de glinsterende koepel in een overdreven tempo voortsnelde. Auto's raceten met een krankzinnige snelheid voorbij en wolken tuimelden door de lucht alsof ze door windkracht tien voortgestuwd werden.

'Turf, kleine smeerlap die je bent,' bulderde Root. 'Dat pak kun je nu wel uittrekken. Het veld is gefilterd van uv-stralen, is mij verteld.'

De dwerg had bij EI een verduisteringspak uitgereikt gekregen. Dwergen mochten dan een dikke huid hebben, ze waren uiterst gevoelig voor zonlicht en verbrandden al binnen drie minuten. Turf pelde het loeistrakke pak af.

'Leuk je te zien, Julius.'

'Commandant Root voor jou, hoor.'

'Commandant inmiddels. Dat heb ik gehoord. Een tikfout zeker?'

Roots tanden maalden zijn sigaar tot moes. 'Ik heb geen tijd voor dergelijke brutaliteiten, veroordeelde. En de enige reden dat mijn laars zich op dit moment niet tegen jouw achterwerk bevindt, is dat ik een klus voor je heb.'

Turf fronste zijn wenkbrauwen. 'Veroordeelde? Ik heb een naam, hoor, Julius.'

Root hurkte tot op het niveau van de dwerg. 'Ik weet niet in wat voor droomwereld jij leeft, veroordeelde, maar in de echte wereld ben jij een crimineel en is het mijn taak jou het leven zo zuur mogelijk te maken. Dus als je verwacht dat ik beleefd tegen je doe, enkel en alleen omdat ik een keer of vijftien tegen je heb getuigd, dan heb je het mooi mis!'

Turf wreef zijn polsen waar de handboeien rode striemen hadden achtergelaten. 'Prima, *commandant*. Maar daarom hoef je nog niet uit je vel te springen. Ik ben geen moordenaar hoor, alleen een kruimeldief.'

'Van wat ik heb begrepen, heb je beneden in de cellen bijna de transformatie ondergaan.'

'Dat was niet mijn schuld. Zíj vielen míj aan.'

Root draaide een verse sigaar in zijn mond. 'Hoe dan ook. Kom maar achter me aan, en waag het niet iets te stelen.'

'Ja, meneer de commandant,' zei Turf onschuldig. Hij hoefde helemaal niets meer te stelen. Hij had Roots toegangskaart tot het veld al gejat toen de commandant de fout had begaan voorover te leunen.

Ze gingen door de Beveiligings-omheining naar de oprijlaan. 'Zie je dat landhuis?'

'Welk landhuis?'

Root viel tegen hem uit. 'Hier heb ik geen tijd voor, veroordeelde. Al bijna de helft van mijn tijdsstop is voorbij. Nog een paar uur en dan zal een van mijn beste officieren geblauwspoeld worden!'

Turf haalde zijn schouders op. 'Dat zijn mijn zaken niet. Ik ben maar een crimineel, weet je nog? En trouwens, ik weet wat jij wilt dat ik doe, en het antwoord is nee.'

'Ik heb het je nog niet eens gevraagd.'

159

'Het is zo klaar als een klontje. Ik ben een huizeninbreker. Dat is een huis. Jij kunt er niet in omdat je dan je toverkracht kwijtraakt, maar mijn toverkracht is al lang weg. Twee en twee.'

Root spoog de sigaar uit. 'Heb je dan helemaal geen burgertrots? Onze hele manier van leven staat hier op het spel.'

'Mijn manier van leven niet. Elfengevangenis, mensengevangenis – het maakt mij allemaal niet uit.'

De commandant dacht even na. 'Oké, schoft die je bent. Vijftig jaar strafvermindering.'

'Ik wil amnestie.'

'Dat had je gedroomd, Turf.'

'Graag of niet.'

'Vijfenzeventig jaar met een minimale beveiliging. Da's graag of niet voor *jou*.'

Turf deed of hij nadacht. Het was allemaal theoretisch, aangezien hij toch van plan was te ontsnappen. 'Eenpersoonscel?'

'Ja, ja, eenpersoonscel. Nou, doe je het of niet?'

'Goed dan, Julius. Maar alleen omdat jij het bent.'


Foaly zocht een bijpassende iriscamera. 'Roodbruin, denk ik. Of misschien geelbruin. U hebt echt heel bijzondere ogen, meneer Turf.'

'Dank je wel, Foaly. Mijn moeder zei altijd dat dat het mooiste aan mij was.'

Root beende op en neer over de vloer van de shuttle. 'Jullie realiseren je toch wel dat we een deadline hebben, hè? Laat die kleur maar zitten. Geef hem gewoon een camera.'

Foaly plukte met een pincet een lens uit zijn vloeistof. 'Dit is niet zomaar een kwestie van ijdelheid, commandant. Hoe

dichter de kleuren bij elkaar liggen, hoe minder hinder er is voor het echte oog.'

'Kan mij het schelen. Als je maar opschiet!'

Foaly pakte Turf bij zijn kin en hield hem stil. 'Zo, die zit. We zijn de hele tijd bij je.' Hij draaide een piepklein cilindertje in de dikke plukken haar die uit Turfs oor groeiden. 'We hebben nu ook geluidsverbinding met je. Voor het geval je assistentie wilt vragen.'

De dwerg glimlachte spottend. 'Neem me niet kwalijk dat ik niet barst van vertrouwen. Ik vind dat ik het in mijn eentje altijd beter heb geklaard.'

'Als je dat al kunt zeggen met zeventien veroordelingen op je naam,' grinnikte Root.

'O, hebben we nu plotseling toch tijd voor grapjes?'

Root greep hem bij zijn schouder. 'Je hebt gelijk. Die hebben we niet. We gaan.' Hij sleurde Turf over een grasstrook naar een groepje kersenbomen. 'Ik wil dat je hier een tunnel graaft en dat je uitzoekt hoe die Fowl zo veel over ons te weten is gekomen. Waarschijnlijk door een of ander bewakingsapparaat. Wat het ook is, je moet het vernietigen. Probeer kapitein Short te vinden en kijk wat je voor haar kunt doen. Als ze dood is, maakt dat in ieder geval de weg vrij voor een biobom.'

Turf tuurde met samengeknepen ogen over het landschap. 'Het bevalt me niet.'

'Wat bevalt je niet?'

'De ligging. Ik ruik kalksteen. Fundamenten van massieve rots. Misschien kan ik er niet eens in komen.'

Foaly draafde naar hen toe. 'Ik heb een scan gedaan. Het oorspronkelijke gebouw staat helemaal op rots, maar een aantal van de latere uitbreidingen staan op klei. De wijnkelder in de

zuidvleugel schijnt een houten vloer te hebben. Dat moet geen probleem opleveren voor iemand met een mond als die van jou.'

Turf besloot dat maar als een weergave van de feiten te beschouwen, en niet als een belediging. Hij deed de bilflap van zijn tunnelbroek open. 'Oké. Achteruit jullie.'

Root en de elfbi-officieren die om hen heen stonden, zochten snel dekking, maar Foaly, die nog nooit in het echt een dwerg een tunnel had zien graven, besloot te blijven.

'Succes, Turf.'

De dwerg scharnierde zijn kaak open.

'Uhdang,' mompelde hij, terwijl hij zich vooroverboog voor de start.

De centaur keek om zich heen. 'Waar is iedereen—'

Die zin zou hij niet afmaken, want een klodder kort daarvoor doorgeslikte en nog veel korter daarvoor gerecyclede kalksteen kwakte in zijn gezicht. Tegen de tijd dat hij zijn ogen weer schoon had, was Turf in een sidderend gat verdwenen en schudden de kersenbomen van het geluid van daverend gelach.

Turf volgde een leemachtige ader door een vulkanische plooi in het gesteente. Prettige samenstelling, niet te veel losse stenen. Ook heel veel insecten. Dat was heel belangrijk voor sterke, gezonde tanden, het belangrijkste aspect van een dwerg, en het eerste waar een aanstaande partner naar keek. Turf ging diep de kalksteen in, zijn buik schraapte bijna over de rots. Hoe dieper de tunnel, hoe minder kans dat er aan de oppervlakte iets verzakte. Je kon niet voorzichtig genoeg zijn tegenwoordig, met al die bewegingssensoren en landmijnen. Het Moddervolk ging wel bijzonder ver om zijn waardevolle spullen te beschermen. En met reden, zoals maar weer eens bleek.

Turf voelde links van hem een bundeling vibraties. Konijnen. De dwerg bepaalde de lokatie met zijn inwendige kompas. Altijd handig te weten waar het plaatselijk wild zich ophield. Hij bewoog zich langs het konijnenleger en ging in een lange noordwestelijke lus om de fundering van het landhuis heen.

Wijnkelders waren altijd gemakkelijk te vinden. In de loop der eeuwen sijpelde de droesem door de vloer heen, waardoor de grond eronder van het karakter van de wijn doortrokken raakte. Deze was somber, niets brutaals aan. Een beetje fruitig, maar niet genoeg om de smaak op te peppen. Ongetwijfeld een gelegenheidswijn op het onderste rek. Turf boerde. Lekkere klei.

De dwerg richtte zijn maaiende kaken hemelwaarts en brak door de vloerdelen heen. Hij hees zichzelf uit het onregelmatige gat en schudde het laatste beetje gerecyclede modder van zijn broek.

Hij bevond zich godzijdank in een donkere kamer, perfect voor dwergenogen. Zijn natuurlijke sonar had hem naar een lege plek op de vloer geleid. Eén meter naar links en hij zou in een enorm vat met Italiaanse rode wijn terecht zijn gekomen.

Turf scharnierde zijn kaak weer terug en trippelde naar de muur. Hij drukte zijn schelpachtige oor plat tegen de rode bakstenen. Heel even stond hij doodstil en nam de vibraties van het huis in zich op. Veel gebrom op een lage frequentie. Er stond ergens een generator en er liep heel wat elektriciteit door de draden.

Er klonken ook voetstappen. Helemaal boven. Misschien op de derde verdieping. En dichterbij een kletterend geluid. Metaal op beton. Daar had je het weer. Iemand was iets aan het bouwen. Of iets aan het afbreken.

Er schoot iets langs zijn voet. Turf trapte het instinctief plat. Het was een spin. Alleen maar een spin.

'Sorry, vriendje,' zei hij tegen de grijze smurrie. 'Ik ben een beetje schrikachtig.'

De trap was natuurlijk van hout. Zo te ruiken was hij eeuwenoud. Zulke trappen kraakten al als je er alleen maar naar kéék. Die verrieden indringers nog eerder dan drukverklikkers. Turf klom langs de rand omhoog, telkens met de ene voet voor de andere. Vlak bij de muur, waar het hout de meeste steun had, zou hij het minst kraken.

Dit was niet zo eenvoudig als het klinkt. Dwergenvoeten zijn bedoeld voor spitwerk, niet voor de verfijnde kneepjes van balletdansen of voor het balanceren op een houten trap. Toch wist Turf de deur zonder verdere incidenten te bereiken. Een paar heel kleine kraakjes, maar niets wat door mensenoren of hardware gehoord zou worden.

De deur was uiteraard op slot, maar dat had hij net zo goed niet kunnen zijn, want een kleptomane dwerg draaide daar zijn hand niet voor om.

Turf stak zijn hand in zijn baard en trok er een dikke haar uit. Dwergenhaar is heel anders dan mensenhaar. De baard en het hoofdhaar van Turf waren eigenlijk een netwerk van antennes waarmee hij onder de grond kon navigeren en gevaar kon ontwijken. Zodra de haar uit zijn porie was verwijderd, werd hij onmiddellijk stijf, in een soort snelle rigor mortis. In de seconden voordat de haar helemaal hard werd, draaide Turf het uiteinde om. Een perfecte loper.

Eén snelle wiebelende beweging en het slot ging open. Slechts twee scharnieren. Beroerde beveiliging. Echt iets voor mensen. Die verwachtten nooit een aanval van onderaf. Turf

stapte een met parket belegde gang in. Het hele huis rook naar geld. Hier kon hij een fortuin verdienen, als hij maar genoeg tijd had.

Vlak onder de kroonlijst hingen camera's. Smaakvol gedaan, weggestopt in de natuurlijke schaduwen. Maar niettemin waakzaam. Turf bleef even staan en berekende waar de blinde vlek van het systeem moest liggen. Drie camera's op de gang. Een bereik van negentig graden. Veel overlap. Geen beginnen aan.

'Heb je hulp nodig?' vroeg een stem.

'Foaly?' Turf richtte zijn camera-oog op de dichtstbijzijnde camera. 'Kun je daar iets aan doen?' fluisterde hij.

De dwerg hoorde het geluid van een toetsenbord waar aan gewerkt werd, en plotseling zoomde zijn rechteroog als de lens van een camera in.

'Handig,' fluisterde Turf. 'Zo een moet ik er ook zien te krijgen.'

Roots stem klonk krakend door de piepkleine oortelefoon. 'Vergeet het maar, veroordeelde. Overheidsapparatuur. Trouwens, wat zou je in de gevangenis met zo'n ding willen doen? Een close-up maken van de andere kant van je cel?'

'Wat ben je toch een charmeur, Julius. Wat scheelt eraan? Ben je jaloers omdat ik slaag waar jij hebt gefaald?'

Roots gevloek werd door Foaly weggedraaid.

'Oké, ik zie het al. Het is een eenvoudig videonetwerk. Niet eens digitaal. Ik ga via onze schotels een *loop* van de laatste tien seconden naar alle camera's in het hele huis sturen. Dat zou jou een paar minuten moeten geven.'

Turf schuifelde ongemakkelijk heen en weer. 'Hoe lang duurt dat? Ik sta hier namelijk nogal in de kijkerd.'

'Het is al begonnen,' antwoordde Foaly. 'Je kunt dus.'

'Weet je het zeker?'

'Natuurlijk weet ik het zeker. Elementaire elektronica. Ik hou me al sinds de kleuterschool met de beveiliging van de mens bezig. Je zult me moeten vertrouwen.'

*Ik vertrouw er nog liever op dat een stelletje mensen niet een hele soort zal uitroeien dan dat ik een elfBI-adviseur vertrouw*, dacht Turf. Maar hardop zei hij: 'Oké. Ik ben weg. Over en sluiten.'

Hij sloop de hal door. Zelfs zijn handen waren sluiperig en wuifden door de lucht alsof hij zichzelf op een of andere manier lichter kon maken. Hij wist niet wat die centaur had gedaan, maar het werkte, want er kwamen geen opgewonden Moddermensen de trap af rennen, zwaaiend met primitieve buskruitwapens.

De trap. Ach, de trap. Turf had iets met trappen. Dat waren net schachten die alvast uitgegraven waren. Hij vond dat de beste buit onvermijdelijk en altijd bovenaan lag. En dit was me een trap, zeg. Oud eikenhout, met het ingewikkelde houtsnijwerk dat je meestal met de achttiende eeuw of wanstaltig rijke mensen in verband bracht. Turf ging met zijn vinger langs een versierde balustrade. In dit geval was het waarschijnlijk allebei waar.

Maar er was geen tijd om hier te blijven lummelen. Trappen bleven meestal niet erg lang leeg, zeker niet tijdens een belegering. Wie weet hoeveel bloeddorstige soldaten er achter elke deur stonden te wachten, die allemaal dolgraag een elfenhoofd aan hun wand met opgezette trofeeën wilden toevoegen?

Turf klom voorzichtig de trap op. Hij zag niets over het hoofd. Zelfs massief eikenhout kraakte. Hij bleef langs de

randen en vermeed het ingelegde tapijt. De dwerg wist van veroordeling nummer acht hoe gemakkelijk het was om een drukverklikker onder de hoge pool van een of ander antiek weefsel te verstoppen.

Hij bereikte het tussenbordes geheel intact, met zijn hoofd nog op zijn schouders. Maar nu zat hij met een ander probleem, dat vrij letterlijk aan het broeien was. De dwergenspijsvertering kan, door zijn hoge snelheid, vrij explosief zijn. De losse grond van het landgoed Fowl was zeer goed doorlucht, en er was een heleboel van die lucht samen met de grond en de mineralen in Turfs kanalen gekomen. En die lucht wilde er nu uit.

De dwergenetiquette schreef voor dat de winden gelaten moesten worden terwijl men zich nog in de tunnel bevond, maar Turf had geen tijd voor goede manieren. Hij had er nu wel spijt van dat hij niet even de tijd had genomen om die lucht kwijt te raken terwijl hij nog in de kelder was. Het probleem met dwergengas was dat die niet omhoog kon, maar alleen omlaag. Stel je alsjeblieft eens voor wat voor rampzalig effect het zou hebben als je een boer liet terwijl je net een mondvol klei aan het verteren bent. Totale systeemstoring. Geen prettig gezicht. Vandaar dat de lichaamsbouw van de dwerg ervoor zorgde dat alle gassen er vanonder uitgingen, en daarbij de lozing van ongewenste klei ook nog versnelde. Er is natuurlijk wel een eenvoudiger manier om dit uit te leggen, maar die versie valt alleen in de editie voor volwassenen te lezen.

Turf sloeg zijn armen om zijn buik. Hij moest maken dat hij buiten kwam. Een gasexplosie op een tussenbordes als dit zou de ramen doen springen. Hij schoof de gang door en ging de eerste de beste deur die hij tegenkwam binnen.

Nog meer camera's. En niet zo weinig ook, nou je het zegt.

Turf bestudeerde de beweging van de lenzen. Vier camera's bewaakten de vloer in het algemeen, maar drie andere waren op een vast punt gericht.

'Foaly? Ben je daar?' fluisterde de dwerg.

'Nee!' Het bekende sarcastische antwoord. 'Ik heb wel wat beters te doen dan me druk te maken over de ineenstorting van de beschaving zoals wij die kennen.'

'Ja, bedankt. Laat je pret vooral niet drukken door het feit dat mijn leven in gevaar is.'

'Ik doe mijn best.'

'Ik heb een uitdaging voor je.'

Foaly was ogenblikkelijk geïnteresseerd. 'Echt waar? Vertel.'

Turf richtte zijn blik op de verzonken camera's, half verscholen in een kronkelende architraaf. 'Ik moet weten waar die drie camera's op gericht zijn. Maar dan ook exact.'

Foaly lachte. 'Dat noem ik geen uitdaging. Die oude videosystemen zenden vage ionenstralen uit. Onzichtbaar voor het blote oog, natuurlijk, maar niet voor jouw iriscamera.'

De hardware in Turfs oog flikkerde en vonkte.

'Au!'

'Sorry. Klein schokje.'

'Dat had je wel even kunnen zeggen.'

'Na afloop krijgen je een dikke zoen van me, schatje. Ik dacht dat dwergen zo stoer waren.'

'We zijn ook stoer. Als ik terug ben, zal ik je eens laten zien hoe stoer ik ben.'

De macho-praat werd onderbroken door Roots stem. 'Jij gaat helemaal niemand iets laten zien, veroordeelde, behalve misschien dat je een wc in je cel hebt. Vooruit, wat zie je?'

Turf keek nog een keer naar de kamer, door zijn nu

ionengevoelige oog. Elke camera zond een zwakke straal uit, als de zonnestralen aan het eind van de middag. De stralen verzamelden zich op een portret van Artemis Fowl Senior.

'Niet achter het schilderij. O, in godsnaam.'

Turf legde zijn oor tegen het glas voor het schilderij. Niets elektrisch. Er stond dus geen alarm op. Om helemaal zeker te zijn rook hij aan de rand van de lijst. Geen plastic of koper. Hout, staal en glas. Een beetje lood in de verf. Hij kromde een nagel achter de lijst en trok. Het schilderij liet soepeltjes los en scharnierde nu naar één kant. En daarachter. Een kluis.

'Het is een kluis,' zei Foaly.

'Dat weet ik, idioot. Ik probeer me te concentreren! Als je wilt helpen, kun je me de combinatie vertellen.'

'Geen punt. O, en trouwens, er komt nog een schokje aan. Misschien wil de grote baby als troost even op zijn duim zuigen.'

'Foaly, ik ga je— au, au!'

'Zo. Nu staat de röntgenstraal aan.'

Turf keek met half toegeknepen ogen naar de kluis. Het was ongelooflijk. Hij kon zo in het binnenwerk kijken. De scharnieren en palletjes stonden in duister reliëf afgetekend. Hij blies op zijn harige vingers en draaide aan de combinatieschijf. Binnen een paar seconden lag de kluis voor hem open.

'O,' zei hij teleurgesteld.

'Wat is er?'

'Niets. Alleen mensengeld. Niets van waarde.'

'Laat liggen,' beval Root. 'Probeer een andere kamer. Ga verder.'

Turf knikte. Een andere kamer. Vóór zijn tijd was verstreken. Maar iets zat hem niet lekker. Als die jongen zo slim was,

waarom stopte hij de kluis dan achter een schilderij? Dat was zo'n cliché. Geheel tegen de regels. Nee. Er klopte hier iets niet. Ze werden op een of andere manier besodemieterd.

Turf deed de kluis dicht en draaide het portret weer op zijn plaats. Het draaide soepeltjes, gewichtloos in de scharnieren. Gewichtloos. Hij draaide het schilderij weer open. En weer dicht.

'Veroordeelde, wat ben je aan het doen?'

'Hou je kop, Julius! Ik bedoel, stil even, commandant.'

Turf tuurde met half dichtgeknepen ogen naar het profiel van de lijst. Dikker dan normaal. Heel wat dikker. Zelfs als je de reliëflijst meerekende. Vijf centimeter. Hij ging met een nagel over de dikke papieren achterkant en trok die weg zodat er...

'Nog een kluis.'

Een kleinere. Zo te zien op maat gemaakt.

'Foaly. Hier kan ik niet doorheen kijken.'

'Met lood gevoerd. Je moet het nu verder alleen doen, inbrekertje. Doe je best.'

'Vreemd,' mompelde Turf, terwijl hij zijn oor tegen het koude staal platdrukte.

Hij draaide de schijf zomaar wat rond. Leuk. De klikjes werden gedempt door het lood – hij zou zich moeten concentreren. De meevaller was dat iets wat zo dun was op z'n hoogst maar drie scharnieren kon hebben.

Turf hield zijn adem in en draaide aan de schijf, één tandje per keer. Voor het normale oor zouden de klikjes, zelfs als het geluid werd versterkt, allemaal precies hetzelfde hebben geklonken. Maar voor Turf had elk klikje een duidelijk herkenbaar geluid, en toen een palwieltje bleef steken gaf dat voor hem een oorverdovend kabaal.

'Eén,' fluisterde hij.

'Schiet een beetje op, veroordeelde. Je tijd is bijna om.'

'Stoor je me nou om dat te vertellen? Dan begrijp ik hoe je commandant bent geworden, Julius.'

'Veroordeelde, ik zal je— '

Maar het had geen zin. Turf had zijn oortje uitgedaan en in zijn zak gestopt. Nu kon hij zijn aandacht helemaal op deze klus richten.

'Twee.'

Er klonk geluid buiten. In de hal. Er kwam iemand aan. Zo te horen iemand ter grootte van een olifant. Dit was ongetwijfeld de menselijke berg die het Beveiligings-team in de pan had gehakt.

Turf knipperde een zweetdruppel uit zijn oog. Concentreren. Concentreren. De tandjes klikten langs. Millimeter voor millimeter. Er bleef niets steken. De vloer leek nu zachtjes te wiebelen, maar het kon ook zijn dat hij zich dat verbeeldde.

Klik… klik. *Kom nou. Schiet op.* Zijn vingers waren glibberig van het zweet. De schijf glibberde ertussendoor. Turf veegde ze af aan zijn wambuis.

'Nou, schatje, kom op. Zeg iets tegen me.'

*Klik. Kloink.*

'Ja!'

Turf draaide de hendel om. Niets. Nog een versperring. Hij ging met een vinger over de metalen voorkant. Aha. Een kleine onregelmatigheid. Een microscopisch sleutelgat. Te klein voor zijn gemiddelde loper. Tijd om een trucje uit de kast te halen dat hij in de gevangenis had geleerd. Maar snel een beetje, want zijn buik borrelde als een stoofpotje in de oven en de voetstappen kwamen dichterbij.

Turf koos een stevige kinhaar uit en stopte die voorzichtig in het piepkleine gaatje. Toen de punt weer te voorschijn kwam, trok hij de wortel uit zijn kin. De haar werd onmiddellijk stijf en behield daarmee de vorm van het binnenwerk van het slot.

Turf hield zijn adem in en draaide. Als een leugentje van een kobold zo gladjes ging het slot open. Prachtig. Momenten als deze waren bijna al die jaren in de gevangenis waard.

De kleptomane dwerg draaide het deurtje open. Prachtig werk. Bijna een elfensmidse waardig. Licht als een veertje. Binnenin was een kleine holte, en in die holte lag...

'O, godenlief,' fluisterde Turf.

Toen ging het allemaal heel snel. De schok die Turf had ervaren, zette zich voort naar zijn darmen, en die besloten dat de overtollige lucht eruit moest. Turf kende de symptomen. Slappe benen, borrelende krampen, een beverig achterwerk. In de paar seconden die hem nog restten, griste hij het voorwerp uit de kluis en greep toen voorovergebogen zijn knieën beet ter ondersteuning.

De opgesloten lucht had zichzelf opgewerkt tot de hevigheid van een minicycloon en viel niet in te houden. En dus kwam hij naar buiten. Nogal agressief. De bilflap van Turf waaide open en sloeg tegen het nogal grote heerschap dat stilletjes achter hem was komen staan.

Artemis zat aan de monitoren gekluisterd. Dit was het moment waarop het van oudsher voor kidnappers verkeerd liep – het derde kwart van de operatie. Omdat de ontvoerders tot dan toe succesvol waren geweest, hadden ze de neiging zich te ontspannen, een sigaretje op te steken, een praatje aan te knopen met hun gijzelaars. En voor ze het wisten, lagen ze plat

op de grond met een stuk of tien geweren tegen hun achterhoofd.

Zo niet Artemis Fowl. Hij maakte geen fouten.

De elfen zaten ongetwijfeld de banden van hun eerste onderhandelingssessie te bekijken, op zoek naar een manier om binnen te komen. Nou, die was er dan ook. Ze hoefden alleen maar te kijken. Het lag net diep genoeg begraven om het op toeval te laten lijken.

Het zou kunnen dat commandant Root een andere list zou proberen. Hij was een uitgekookt type, zo veel was zeker. Iemand die zich niet zomaar door een kind zou laten verslaan. Hij zou gewoon zijn tijd afwachten.

Van de gedachte aan Root alleen al moest Artemis huiveren. Hij besloot nog eens te controleren. Hij inspecteerde de monitoren.

Juliet was nog in de keuken – ze stond aan de gootsteen groente te wassen.

Kapitein Short zat op haar bed. Muisstil. Ze was niet meer met haar bed aan het rammen. Misschien had hij het toch bij het verkeerde eind gehad – misschien had ze helemaal geen plan.

Butler stond op zijn post voor Holly's cel. Vreemd. Hij had onderhand met zijn rondes bezig moeten zijn. Artemis pakte een walkie-talkie.

'Butler?'

'Butler hier, over.'

'Hoor jij niet op je ronde te zijn?'

Het was even stil. 'Dat ben ik ook, Artemis. Ik patrouilleer over de grote overloop. Ik kom nu in de kamer met de kluis. Ik zwaai nu naar je.'

173

Artemis keek naar de camera's van de overloop. Verlaten. Vanuit elke hoek. Geen zwaaiende bediende te bekennen. Hij bestudeerde de monitoren en telde fluisterend... Daar! Elke tien seconden, een heel licht sprongetje. Op elk scherm, álle schermen.

'Een *loop*!' schreeuwde hij, terwijl hij van zijn stoel opsprong. 'Ze sturen ons een *loop*!'

Door de walkie-talkie kon hij horen hoe Butlers lopen overging in rennen.

'De kamer van de kluis!'

Artemis' hart zonk als een baksteen in zijn schoenen. Ze hadden hem beet! Hij, Artemis Fowl, was beetgenomen, ook al had hij geweten dat het eraan zat te komen. Onvoorstelbaar. Allemaal de schuld van de arrogantie, zijn eigen blindmakende arrogantie. En nu kon het hele plan wel eens in rook opgaan.

Hij schakelde de walkie-talkie over op de frequentie van Juliet. Nu was het wel jammer dat hij de intercom van het huis uitgeschakeld had, maar die werkte niet op een veilige frequentie.

'Juliet?'

'Juliet hier.'

'Waar ben je op dit moment?'

'In de keuken. Ik zit mijn nagels op deze rasp te vernielen.'

'Hou maar op, Juliet. Ga kijken hoe het met de gevangene is.'

'Maar, Artemis, dan drogen de worteltjes uit!'

'Laat zitten, Juliet!' schreeuwde Artemis. 'Laat alles vallen en ga bij de gevangene kijken!'

Juliet gehoorzaamde braaf en liet alles vallen, inclusief de walkie-talkie. Nu zou ze dagen mokken. Wat maakte het uit. Hij had geen tijd om zich druk te maken over het gekwetste ego

van een tienermeisje. Hij had wel wat belangrijkers aan zijn hoofd.

Artemis draaide de hoofdschakelaar van het gecomputeriseerde bewakingssysteem om. Zijn enige kans om de *loop* eruit te krijgen was door het systeem helemaal opnieuw op te starten. Na een paar bloedstollende momenten waarop de schermen alleen sneeuw lieten zien, sloegen de monitoren met een schok weer aan. Alles zag er heel anders uit dan een paar seconden daarvoor.

In de kamer met de kluis stond een afschuwelijk *ding*. Dat ding had blijkbaar de geheime ruimte ontdekt, maar het had ook nog het fluisterslot open weten te krijgen. Verbazingwekkend. Maar Butler had hem in de smiezen. Hij kwam vanachter aangeslopen, en de indringer kon nu elk moment met zijn neus in het tapijt gedrukt worden.

Artemis schakelde zijn aandacht over naar Holly. De elf was weer met haar bed aan het rammen. Ze beukte het frame telkens weer tegen de grond, alsof ze...

Toen wist Artemis het plotseling, als donderslag bij heldere hemel. Als Holly op de een of andere manier een eikel binnen had weten te smokkelen, dan was een vierkante centimeter grond al genoeg. Als Juliet die deur openliet...

'Juliet!' schreeuwde hij in de walkie-talkie. 'Juliet! Niet naar binnen gaan!'

Maar het haalde niets uit. De walkie-talkie van het meisje lag te brommen op de keukenvloer, en er restte Artemis niets anders dan machteloos toe te kijken terwijl Butlers zus, iets over wortels mompelend, naar de celdeur liep.

'De kamer van de kluis!' riep Butler uit, terwijl hij sneller ging lopen. Zijn instinct zei hem dat hij schietend en wel naar

binnen moest gaan, maar zijn opleiding nam het over. Elfenhardware was zonder meer geavanceerder dan zijn eigen hardware, en wie wist hoe veel geweerlopen er op dit moment aan de andere kant van de deur op hem gericht waren? Nee, in deze specifieke situatie moest voorzichtigheid het beslist van heldhaftigheid winnen.

Hij legde een handpalm tegen het hout om te voelen of er vibraties waren. Niets. Geen machinerie dus. Butler kromde zijn vingers om de knop en draaide zachtjes. Met zijn andere hand trok hij een automatisch Sig Sauer-pistool uit zijn schouderholster. Hij had geen tijd om zijn geweer met verdovingspijltjes te halen – dodelijke schoten moesten het worden.

De deur zwaaide geluidloos open, zoals Butler wel had verwacht, aangezien hij elke scharnier in het huis zelf had geolied. Voor hem stond... Nou, om eerlijk te zijn wist Butler niet goed wat dat moest voorstellen. Als hij niet beter had geweten, althans op het eerste gezicht, dan zou hij gezworen hebben dat het... *ding* eigenlijk alleen maar leek op een enorme, trillende—

Op dat moment explodeerde het ding, daarbij een verbazingwekkende hoeveelheid tunnelafval rechtstreeks tegen de onfortuinlijke bediende smijtend! Het was net of ze hem met honderd voorhamers tegelijk te lijf gingen. Butler werd in zijn geheel opgetild en door de kamer gesmeten.

Daar lag hij nu, en terwijl hij buiten bewustzijn raakte, bad hij dat meester Artemis er niet in was geslaagd dit moment op video vast te leggen.

Holly was aan het verzwakken. Het beddenframe was bijna

twee keer haar lichaamsgewicht en de randen veroorzaakten steeds meer pijnlijke striemen in haar handpalmen. Maar ze mocht nu niet stoppen. Niet nu ze er zo dichtbij was.

Ze ramde de poot weer tegen het beton. Rond haar benen warrelde een grijze stofwolk op. Fowl kon nu elk moment haar plan doorkrijgen en dan zou ze weer een injectie krijgen. Maar voor het zover was...

Ze zette haar tanden op elkaar tegen de pijn en tilde het beddenframe tot kniehoogte op. Toen zag ze het. Een piezeltje bruin tussen het grijs. Ze geloofde haar ogen niet.

Kapitein Short vergat de pijn, liet het bed vallen en ging snel op haar knieën zitten. En inderdaad, daar was een klein stukje aarde tussen het cement door te zien. Holly peuterde de eikel uit haar laars en hield hem stevig in haar bebloede vingers.

'Ik geef je terug aan de aarde,' fluisterde ze, terwijl ze haar vuist in het piepkleine plekje wurmde. 'En ik eis het geschenk waar ik recht op heb.'

Eén hartslag lang gebeurde er niets. Of misschien waren het er wel twee. Toen voelde Holly de toverkracht als een schok van trollenschrikdraad door haar arm omhoog stromen. De schok was zo heftig dat ze door de kamer tolde. Heel even wervelde de wereld rond in een verontrustende draaimolen van kleur, maar toen alles weer op zijn plaats kwam, was Holly niet langer de verslagen elf die ze was geweest.

'Oké, meester Fowl,' grijnsde ze, terwijl ze keek hoe de blauwe vonken van haar toverkracht haar wonden afdekten. 'Eens kijken wat ik moet doen om te zorgen dat jij mij toestemming geeft om dit huis te verlaten.'

'Laat alles vallen,' mokte Juliet. 'Laat alles vallen en ga bij de

gevangene kijken.' Ze sloeg haar blonde vlechten vakkundig over een schouder. 'Hij denkt zeker dat ik zijn dienstmeid ben of zo.'

Ze bonkte met haar vlakke hand op de celdeur.

'Ik kom nu naar binnen, elfje, dus als je met iets gênants bezig bent, zou ik daar maar mee ophouden.'

Juliet drukte de cijfercombinatie in op het toetsenpaneeltje. 'En nee, ik heb niet je groenten of je gewassen fruit bij me. Maar dat is niet mijn schuld, want Artemis *stond er op* dat ik meteen—'

Juliet hield op met praten, want er was niemand die naar haar luisterde. Ze stond tegen een lege kamer te preken. Ze wachtte tot haar hersenen met een verklaring zouden komen. Maar er kwam niets. Op een gegeven moment drong het tot haar door dat ze nog eens goed moest kijken.

Ze zette een aarzelende stap de betonnen kubus in. Niets. Alleen een kleine flikkering in de schaduw. Als mist. Dat kwam waarschijnlijk door die stomme bril. Hoe kon je in 's hemelsnaam onder de grond iets zien als je een spiegelende zonnebril droeg? En die bril was zo ontzettend jaren negentig – hij was nog niet eens retro.

Juliet keek schuldbewust naar de monitor. Alleen even snel kijken, dat kon toch geen kwaad? Ze wipte de bril omhoog en liet haar oogballen snel de kamer rondgaan.

Op dat moment doemde er een gestalte voor haar op. Net of die zo uit de lucht gestapt kwam. Het was Holly. Ze glimlachte.

'O, jij bent het. Hoe ben je—'

De elf onderbrak haar met een handgebaar. 'Waarom zet je die bril niet af, Juliet? Die staat je echt niet.'

*Ze heeft gelijk*, dacht Juliet. En wat een prachtige stem. Net een koor, maar dan helemaal in haar eentje. Hoe kon je nou tegen zo'n stem ingaan?

'Tuurlijk. Grotbewonersbril af. Coole stem, trouwens. Do-re-mi en zo.'

Holly besloot geen poging te doen Juliets opmerkingen te ontcijferen. Dat was al moeilijk genoeg als het meisje bij haar volle verstand was. 'Oké. Een eenvoudige vraag.'

'Prima.' *Wat een geweldig idee.*

'Hoeveel mensen zijn er in het huis?'

Juliet dacht na. *Eén en één en één.*

En nog één? Nee, mevrouw Fowl was er niet.

'Drie,' zei ze uiteindelijk. 'Ik en Butler en Artemis, natuurlijk. Mevrouw Fowl was hier wel, maar die was vertrokken en toen is ze vertrokken.' Juliet giechelde. Ze had een grapje gemaakt. En nog een goeie ook.

Holly haalde adem om haar om opheldering te vragen, maar bedacht zich toen. Dat bleek een grote vergissing. 'Is er nog iemand anders geweest? Iemand zoals ik?'

Juliet beet op haar lip. 'Er was een mannetje. Met net zo'n uniform aan als jij. Geen schatje, hoor. In de verste verte niet. Hij schreeuwde alleen maar, en hij rookte een stinksigaar. Vreselijke huid. Zo rood als een tomaat.'

Holly moest bijna glimlachen. Root was hoogstpersoonlijk gekomen. Dan waren de onderhandelingen ongetwijfeld rampzalig verlopen. 'Verder niemand?'

'Niet dat ik weet. Als je die man nog eens ziet, moet je zeggen dat hij geen rood vlees meer moet eten. Je kan erop wachten dat hij een hartaanval krijgt.'

Holly slikte een grijns in. Juliet was de enige mens die zij kende die onder de mesmer waarschijnlijk helderder van geest was dan anders.

'Oké. Ik zal het hem zeggen. Goed, Juliet, ik wil dat je in mijn

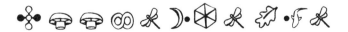

179

kamer blijft. Wat je ook hoort, je mag er niet uit komen.'

Juliet fronste haar wenkbrauwen. 'Deze kamer? Maar die is zo saai. Geen tv of niets. Mag ik niet naar de salon?'

'Nee. Je moet hier blijven. Trouwens, ze hebben net een wandtelevisie geïnstalleerd. Bioscoopafmetingen. Vierentwintig uur per dag worstelen.'

Juliet viel bijna flauw van blijdschap. Ze rende de cel in en keek met open mond naar de beelden die haar verbeelding aanvoerde.

Holly schudde haar hoofd. Nou, dacht ze, in ieder geval is één van ons gelukkig.


Turf schudde eens met zijn achterwerk om eventuele kluiten aarde los te werken. Kon zijn moeder hem maar zien, zoals hij het Moddervolk met modder aan het besproeien was. Dat was... ironisch bedoeld, of iets dergelijks. Turf was op school nooit erg goed in taal geweest. En ook niet in poëzie. Hij had nooit begrepen waar dat goed voor was. In de mijnen waren er maar twee zinnen die ertoe deden: 'Kijk, goud!' en 'Instorting, iedereen eruit!' Daar zat geen verborgen betekenis of rijmelarij aan.

De dwerg knoopte zijn bilflap dicht, die was opengewaaid door de rukwind uit zijn lagere delen. Tijd om de benen te nemen. Zijn hoop onontdekt te kunnen vluchten was vervlogen. Letterlijk.

Turf pakte zijn oortje weer op en draaide die stevig in. Ach, je wist maar nooit, zelfs de elfBI kon nog wel eens nuttig blijken te zijn.

'...en als ik jou te pakken krijg, veroordeelde, dan zou je wensen dat je in die mijnen was gebleven...'

Turf zuchtte. Ach ja. Niets nieuws onder de zon dus.

De dwerg hield de schat uit de kluis stevig in zijn knuist en draaide zich om om dezelfde weg terug te gaan. Tot zijn grote verbazing zat er een mens verstrikt in de trapleuning. Turf was helemaal niet verbaasd dat zijn gerecyclede uitwerpselen erin waren geslaagd de enorme Modderman dwars door de kamer de overloop op te slingeren. Dwergenwinden hebben in de Alpen wel lawines veroorzaakt. Wat hem wel verbaasde was het feit dat de man er sowieso in was geslaagd zo dicht bij hem te komen.

'Jij bent een goeie,' zei Turf, terwijl hij met een vinger naar de bewusteloze bodyguard zwaaide. 'Maar niemand blijft bij een wind van Turf Graafmans op beide benen staan.'

De Modderman bewoog een beetje, en onder zijn trillende oogleden was het wit te zien.

In de oren van de dwerg kraakte Roots stem. 'Schiet op, Turf *Graafmans*, voor die Modderman opstaat en jouw ingewanden even op orde komt brengen. Hij heeft een heel Beveiligings-team uitgeschakeld, hoor!'

Turf slikte – zijn moed liet hem plotseling in de steek. 'Een *heel* Beveiligings-team? Misschien moest ik maar weer ondergronds zien te raken... dat lijkt me het beste voor de missie.'

Turf stapte haastig over de kreunende bodyguard heen en ging met twee treden tegelijk de trap af. Als je net het ingewandenequivalent van orkaan Mitch door de gangen hebt laten jagen hoef je je niet echt zorgen meer te maken over een krakende trap.

Hij was bijna bij de kelderdeur toen voor zijn neus flakkerend een gestalte opdoemde. Turf herkende de officier die hem

gearresteerd had in de zaak van de gestolen meesterwerken uit de Renaissance.

'Kapitein Short.'

'Turf. Jou had ik hier niet verwacht.'

De dwerg haalde zijn schouders op. 'Julius had een rotklus. Iémand moest het toch doen.'

'Ik snap het,' zei Holly met een knikje. 'Jij bent je toverkracht al kwijt. Slim. Wat ben je te weten gekomen?'

Turf liet Holly zien wat hij gevonden had. 'Dit lag in zijn kluis.'

'Een exemplaar van het Boek!' zei Holly, naar adem happend. 'Geen wonder dat we in deze ellende zitten. We speelden hem dus de hele tijd al in de kaart.'

Turf deed de kelderdeur open. 'Zullen we dan maar?'

'Ik mag niet. Ik heb strikte orders het huis niet te verlaten.'

'Jullie magische types ook, met jullie rituelen. Je hebt geen idee hoe bevrijdend het is om niets meer met al die hocus-pocus te maken te hebben.'

Van het tussenbordes boven dreef een hele reeks scherpe geluiden omlaag. Het klonk als een trol die in een kristalwinkel aan het rondstampen was.

'We hebben het later nog wel eens over de morele kant van de zaak. Voorlopig stel ik voor dat we ons uit de voeten maken.'

Turf knikte. 'Helemaal mee eens. Die vent schijnt een heel Beveiligings-team uitgeschakeld te hebben.'

Holly wachtte even, nog maar voor de helft met het schild beveiligd. 'Een heel team? Hm. Geheel uitgerust? Ik vraag me af...' Ze ging verder met zichzelf onzichtbaar te maken, en het laatste wat verdween was haar brede grijns.

Turf had eigenlijk zin om nog een beetje te blijven. Niets

182

leuker dan kijken hoe een zwaar bewapende Opsporings-
officier zich uitleefde op een groepje nietsvermoedende
mensen. Tegen de tijd dat kapitein Short klaar was met die
Fowl, zou hij haar smeken zijn landhuis te verlaten.

De betreffende Fowl zat het vanuit de bewakingskamer
allemaal te bekijken. Je kon er niet omheen – het zat niet goed.
Helemaal niet goed. Maar het was beslist niet onherstelbaar. Er
was nog hoop.

Artemis zette de gebeurtenissen van de laatste paar minuten
op een rijtje. De beveiliging van het huis was geschonden. In de
kamer met de kluis was het een chaos, aan flarden geschoten
door een soort elfenwinderigheid. Butler was bewusteloos en
mogelijk verlamd door diezelfde gasvormige rottigheid. Zijn
gijzelaar liep vrij in het huis rond, weer in het bezit van al haar
elfenkrachten. Er was een afzichtelijk creatuur met een leren
broek aan bezig gaten onder de fundering te graven, zonder
enig ontzag voor de elfengeboden. En het Volk had een
exemplaar van het Boek te pakken gekregen, waar er gelukkig
wel meer van waren, inclusief één op diskette in een Zwitserse
bankkluis.

Artemis' vinger streek een donkere piek haar weg. Hij zou
heel diep moeten graven om het goede in dit specifieke
scenario bloot te leggen. Hij haalde een paar keer diep adem
om zijn *chi* te vinden, zoals Butler hem had geleerd.

Na een tijdje diep te hebben nagedacht, realiseerde hij zich
dat deze factoren niet veel betekenden voor de algehele
strategie van beide kampen. Kapitein Short zat nog steeds in
het landhuis gevangen. En de periode van tijdstilstand liep op
zijn eind. Nog even en de elfbi zou geen andere keus hebben

dan hun biobom te gooien, en dat was het moment waarop Artemis Fowl zijn *coup de grâce* zou toedienen. De hele zaak hing natuurlijk van commandant Root af. Als Root zo intellectueel geprikkeld was als hij had doen voorkomen, was het heel wel mogelijk dat het hele plan in duigen zou vallen. Artemis hoopte vurig dat iemand van het elfenteam zo slim was dat hem de 'blunder' was opgevallen die hij tijdens de onderhandelingssessie had gemaakt.

Turf knoopte zijn bilflap open. Tijd om wat modder op te zuigen, zoals ze in de mijnen altijd zeiden. Het probleem met dwergentunnels was dat ze zichzelf afsloten, zodat je, als je dezelfde weg terug wilde, een heel nieuwe tunnel moest graven. Sommige dwergen gingen precies terug zoals ze gekomen waren en kauwden zich daarbij door de minder compacte en voorverteerde grond heen. Turf groef liever een nieuwe tunnel. Om de een of andere reden trok het hem niet aan om twee keer dezelfde aarde te moeten eten.

De dwerg scharnierde zijn kaak los en richtte zichzelf als een torpedo door het gat in de vloerdelen. Zijn hart kalmeerde onmiddellijk toen hij de geur van mineralen in zijn neus kreeg. Veilig, hij was *veilig*. Onder de grond was een dwerg door niets of niemand te grijpen, zelfs niet door een Schotse rotsworm. Althans, als hij erin slaagde onder de grond te komen...

Tien heel sterke vingers grepen Turf bij zijn enkels beet. Het zat de dwerg niet mee vandaag. Eerst wrattenkop, en nu deze moorddadige mens weer. Sommige mensen leren het ook nooit. Meestal Moddermensen.

'Aamelos,' mompelde hij, terwijl zijn losgescharnierde kaak er nutteloos bij hing.

'Geen schijn van kans,' luidde het antwoord. 'Als jij dit huis al verlaat, dan is het in een lijkzak.'

Turf voelde hoe hij naar achteren werd getrokken. Deze mens was sterk. Er waren niet veel wezens die een dwerg die iets beet had konden lostrekken. Hij graaide in de aarde en propte handenvol van wijn doortrokken klei in zijn holle mond. Dat was zijn enige kans.

'Kom op, kleine kobold. Kom eruit.'

Kobold! Turf zou verontwaardigd zijn geweest als hij niet zo druk bezig was met klei kauwen om naar zijn vijand te schieten.

De mens stopte met praten. Waarschijnlijk had hij de bilflap gezien, en misschien ook wel de billen. Hij herinnerde zich nu ongetwijfeld wat er in de kamer met de kluis was gebeurd.

'O...'

Wat er op dat 'O' gevolgd zou zijn blijft voor iedereen gissen, maar ik wil wedden dat dat niet 'hemeltjelief' geweest is. Maar Butler zou de tijd niet krijgen om zijn krachtterm af te maken, omdat hij zo verstandig was op dat moment zijn prooi los te laten. Een heel verstandig besluit, aangezien dit precies samenviel met het moment waarop Turf had besloten zijn aardesalvo af te vuren.

Een kluit compacte klei vloog als een kanonskogel recht op de plek af waar zich nog maar een seconde daarvoor Butlers hoofd had bevonden. Als dat hoofd daar nog had gezeten, dan zou het door de klap van Butlers schouders gescheiden zijn. Een onwaardig eind voor een bodyguard van zijn kaliber. Het doorweekte projectiel schampte nu langs zijn oor. De kracht was toch nog zo groot dat Butler als een kunstschaatser in de rondte draaide, en voor de tweede keer in korte tijd op zijn achterste belandde.

Tegen de tijd dat hij weer scherp zag, was de dwerg in een draaikolk van borrelende modder verdwenen. Butler besloot maar niet achter hem aan te gaan. Onder de grond sterven stond niet erg hoog op zijn prioriteitenlijstje. Maar ik krijg jou nog wel, elf, dacht hij grimmig. En dat zou ook gebeuren. Maar dat is weer een heel ander verhaal.

Door zijn vaart werd Turf onder de grond gedreven. Hij had al een paar meter van de leemachtige ader achter zich toen hij zich realiseerde dat niemand hem volgde. Zodra de smaak van aarde zijn hartslag weer tot rust had gebracht, besloot hij dat het tijd was zijn vluchtplan in werking te stellen.

De dwerg veranderde van koers en kauwde zich een weg naar het konijnenleger dat hij al eerder had opgemerkt. Met een beetje geluk had de centaur geen seismologietest op het landgoed uitgevoerd, anders zou zijn list wel eens ontdekt kunnen worden. Hij moest maar vertrouwen op het feit dat ze wel wat belangrijkers aan hun hoofd hadden dan een vermiste gevangene. Julius om de tuin leiden was geen kunst, maar die centaur was een slimmerd.

Het inwendige kompas van Turf functioneerde uitstekend, en al binnen een paar minuten voelde hij de zachte trillingen van de konijnen die soepel door hun tunnels liepen. Als de illusie overtuigend moest worden, kwam het vanaf nu op timing aan. Hij vertraagde zijn graaftempo en duwde voorzichtig tegen de zachte klei tot zijn vingers door de tunnelwand braken. Turf was wel zo verstandig om de andere kant op te kijken, want alles wat hij zag, zou in het hoofdkwartier van de elfBI ook op het beeldscherm te zien zijn.

Turf legde zijn vingers als een omgekeerde spin op de bodem

van de tunnel en wachtte. Het duurde niet lang. Binnen een paar seconden voelde hij het ritmische gebonk van een naderend konijn. Op het moment dat het dier met zijn achterpoten tegen de val aankwam, sloot hij zijn krachtige vingers om zijn nek. Het arme dier had geen schijn van kans.

Het spijt me, jongen, dacht de dwerg, als het op een andere manier had gekund... Turf trok het lichaam van het konijn door het gat, scharnierde zijn kaak weer terug en begon te schreeuwen. 'Instorting! Instorting! Help! Help!'

En nu kwam het lastige gedeelte. Met één hand woelde hij door de omringende aarde, waardoor er om zijn hoofd heen een hele stortvloed naar beneden kwam. Met de andere hand wipte hij de iriscamera uit zijn linkeroog en liet deze in het oog van het konijn glijden. Gezien de bijna volstrekte duisternis en de verwarring van de aardverschuiving, moest het bijna onmogelijk zijn deze overgang waar te nemen.

'Julius! Alsjeblieft, help me!'

'Turf? Wat gebeurt er? Wat is je positie?'

*Wat is mijn positie?* dacht de dwerg ongelovig. Zelfs in tijden van veronderstelde crisis kon de commandant geen afstand doen van zijn gewichtige taalgebruik.

'Ik... Argh...' De dwerg liet zijn laatste schreeuw horen, die tot een gorgelend gereutel wegstierf.

Een beetje melodramatisch misschien, maar Turf zwichtte altijd voor theatraal gedrag. Met een laatste meewarige blik op het stervende dier scharnierde hij zijn kaak weer los en ploegde voort in de richting van het zuidoosten. De vrijheid lokte.

# Trol

Root boog zich naar voren en brulde in de microfoon. 'Turf! Wat gebeurt er? Wat is je positie?'

Foaly sloeg driftig op een toetsenbord. 'We zijn de geluidsverbinding kwijt. En de beelden ook.'

'Turf! Zeg iets, verdomme!'

'Ik doe een scan van zijn vitale lichaamsfuncties... Wow!'

'Wat? Was is er?'

'Zijn hart is op hol geslagen. Het gaat tekeer als dat van een konijn...'

'Een konijn?'

'Nee, wacht, het is...'

'Wat?' fluisterde de commandant, doodsbang dat hij al wist wat er ging komen.

Foaly leunde achterover in zijn stoel. 'Het is opgehouden. Zijn hartslag is opgehouden.'

'Weet je het zeker?'

'De monitoren liegen niet. Alle vitale lichaamsfuncties kunnen via de iriscamera gelezen worden. Geen enkel piepje meer. Hij is dood.'

Root kon het niet geloven. Turf Graafmans, een van de constante factoren in het leven, dóód? Dat kon niet waar zijn.

'Hij heeft het 'm wel geflikt, hoor, Foaly. Hij heeft toch maar mooi een exemplaar van het Boek gevonden, en hij heeft bevestigd dat Short in leven was.'

Foaly's brede voorhoofd trok heel even in een frons. 'Ja, maar...'

'Ja, maar, wat?' zei Root, bij wie nu argwaan was gewekt.

'Nou, heel even, vlak voor het eind, leek zijn hartslag abnormaal snel.'

'Misschien was het een storing.'

De centaur was niet overtuigd. 'Dat durf ik te betwijfelen. Mijn systeem heeft geen storingen.'

'Wat voor verklaring kan er dan voor zijn? Je hebt nog steeds beeld, toch?'

'Ja. Door dode ogen, zo veel is zeker. Er zit geen sprankje elektriciteit in die hersenen, de camera loopt op zijn eigen batterij.'

'Nou, dan was dat het. Geen andere verklaring.'

Foaly knikte. 'Daar ziet het wel naar uit. Tenzij... Nee, dat is te vergezocht.'

'We hebben het hier wel over Turf Graafmans. Dan is niets te vergezocht.'

Foaly deed zijn mond open om zijn ongeloofwaardige theorie te verkondigen, maar voor hij iets kon zeggen gleed de deur van de shuttleruimte open.

'We hebben hem!' riep een triomfantelijke stem.

'Ja!' viel een tweede stem hem bij. 'Fowl heeft een fout gemaakt!'

Root draaide zich om in zijn stoel. Het waren Argon en Cumulus, de zogenaamde gedragsanalisten. 'O, hebben we eindelijk besloten om maar eens te gaan werken voor ons geld?'

Maar de professoren lieten zich niet zo gemakkelijk intimideren. Ze waren allebei opgewonden. Cumulus had zelfs het gore lef Roots sarcastische opmerking weg te wuiven. Dit maakte, meer dan wat ook, dat de commandant rechtop ging zitten en alert werd.

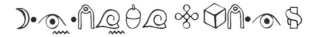

Argon liep rakelings langs Foaly en duwde een laserdiskette in de speler in het bedieningspaneel. Het gezicht van Artemis Fowl verscheen op het scherm, zoals gezien door de iriscamera van Root.

'We houden contact,' zei de opgenomen stem van de commandant. 'Doe geen moeite, ik kom er wel uit.'

Fowls gezicht verdween tijdelijk uit beeld toen hij uit zijn stoel opstond. Root richtte zijn blik net op tijd op om de volgende bloedstollende uitspraak te registreren.

'Doe dat. Maar onthoud goed dat niemand van uw ras toestemming heeft om hier binnen te komen zolang ik in leven ben.'

Argon drukte triomfantelijk op de pauzeknop. 'Daar, zie je wel!'

Roots gezicht verloor zijn laatste spoortje bleekheid. 'Daar? Daar wat? Wat moet ik zien?'

Cumulus mompelde 'tut tut', zoals je dat tegen een kind zou doen. Een vergissing, achteraf bezien. De commandant had hem binnen een seconde bij zijn puntbaardje te pakken. 'Zo,' zei hij, zijn stem bedrieglijk rustig, 'doe maar alsof wij hier heel krap in onze tijd zitten en leg het me eens zonder arrogant gedoe of kritische kanttekeningen uit.'

'De mens zei dat we niet binnen konden komen zolang hij in leven was,' piepte Cumulus.

'En?'

Argon nam het over. 'Nou... Als we niet binnen kunnen komen als hij leeft...'

Root haalde kort en fel adem. '...dan gaan we naar binnen als hij dood is.'

Cumulus en Argon straalden. 'Precies,' zeiden ze in koor.

Root krabde aan zijn kin. 'Ik weet het niet. Juridisch gezien bevinden we ons op gevaarlijk terrein.'

'Helemaal niet,' redeneerde Cumulus. 'Het is zo klaar als een klontje. De mens heeft nadrukkelijk gezegd dat het verboden is binnen te komen zo lang hij in leven is. Dat is een regelrechte uitnodiging om binnen te komen als hij dood is.'

De commandant was niet overtuigd. 'Daar wordt op z'n best in bedekte termen toe uitgenodigd.'

'Nee,' onderbrak Foaly hem, 'ze hebben gelijk. We staan sterk. Zodra Fowl dood is, staat de deur wijd open. Dat heeft hij zelf gezegd.'

'Zou kunnen.'

'Niks "zou kunnen",' flapte Foaly eruit. 'In godsnaam, Julius, wat wil je nou nog meer? Het is crisis, hoor, voor het geval dat niet tot je is doorgedrongen.'

Root knikte langzaam. 'Ten eerste: je hebt gelijk. Ten tweede: ik doe mee. Ten derde: goed gedaan, jullie twee. En ten vierde: noem me nooit meer Julius, Foaly, want dan zal je je eigen hoeven opvreten. Goed, geef me een verbinding met de Raad, want ik moet toestemming hebben voor dat goud.'

'Komt in orde, commandant Root, uwe heiligheid,' grinnikte Foaly, terwijl hij de opmerking over dat hoeven vreten omwille van Holly maar liet voor wat het was.

'Dus we sturen het goud naar binnen,' mompelde Root, hardop denkend. 'Zij sturen Holly naar buiten, wij blauw-spoelen de hele boel en wandelen naar binnen om de buit weer op te halen. Eenvoudig als wat.'

'Zo eenvoudig dat het briljant is!' riep Argon enthousiast uit. 'Een hele prestatie voor ons vak, vindt u ook niet, dokter Cumulus?'

Cumulus' hoofd tolde van de mogelijkheden. 'Lezingen-tournees, boekcontracten. Trouwens, de filmrechten alleen al zullen een vermogen opleveren.'

'Laat die sociologen dit maar in hun collectieve zak stoppen. Dan is het meteen gedaan met die onzin over dat armoede tot asociaal gedrag leidt. Die Fowl heeft nog nooit van z'n leven honger gehad.'

'Er bestaan meerdere soorten honger,' merkte Argon op.

'Zeer juist. Honger naar succes. Honger naar macht. Honger naar—'

Root verloor zijn geduld. 'Eruit! En snel een beetje, anders draai ik jullie allebei de nek om. En als ik hier ooit ook maar één woord over hoor in de middageditie van een talkshow, weet ik waar het vandaan komt.'

De adviseurs gingen behoedzaam de kamer uit, en bedachten dat ze hun agent pas zouden bellen als ze buiten gehoorsafstand waren.

'Ik weet niet of de Raad hier toestemming voor zal geven,' gaf Root toe toen ze vertrokken waren. 'Het is een heleboel goud.'

Foaly keek op van het bedieningspaneel. 'Hoe veel precies?'

De commandant schoof een papiertje over het paneel. 'Zo veel.'

'Dat is me nogal wat,' floot Foaly. 'Een ton. Kleine, ongemerkte staven. Alleen vierentwintig karaats. Nou, dat is tenminste een mooi rond gewicht.'

'Heel geruststellend. Dat zal ik ook zeker tegen de Raad zeggen. Heb je die verbinding al?'

De centaur gromde. Een ontkennende grom. Heel onbeschoft eigenlijk, grommen naar je meerdere. Root had niet de energie om hem te berispen, maar hij maakte er in

192

gedachten een aantekening van – als dit allemaal achter de rug is, moet Foaly's salaris een paar decennia worden ingehouden. Hij wreef uitgeput in zijn ogen. De tijdachterstand begon zijn tol te eisen. Zijn hersenen mochten er dan voor zorgen dat hij niet in slaap viel omdat hij wakker was geweest toen de tijdsstop in werking werd gesteld, maar zijn lichaam schreeuwde om rust.

Hij stond op van zijn stoel en gooide de deur wijd open om wat frisse lucht binnen te laten. Muf. Lucht van de tijdsstop. Zelfs moleculen konden niet aan het tijdsveld ontsnappen, laat staan een mensenkind.

Er klonk lawaai bij de toegangspoort. Een heleboel zelfs. Rond een zweefkooi dromde een menigte soldaten samen. Knuppel ging aan het hoofd van de optocht, en de hele club kwam zijn kant op. Root liep hen tegemoet. 'Wat heeft dit te betekenen?' informeerde hij, niet al te vriendelijk. 'Een circus?'

Knuppels gezicht was bleek maar vastberaden. 'Nee, Julius. Dit is het einde van het circus.'

Root knikte. 'Aha. En dit zijn de clowns?'

Foaly stak zijn hoofd om de deur. 'Sorry dat ik jullie uitgebreide circusmetafoor onderbreek, maar wat is dit in 's hemelsnaam?'

'Ja, luitenant,' zei Root, terwijl hij naar de zwevende kooi knikte. 'Wat is dit in 's hemelsnaam?'

Knuppel verzamelde moed door een paar keer diep adem te halen. 'Ik ben je opvolger, Julius.'

'Is dat zo?'

'Ja, dat is zo. Je hebt ervoor gekozen een wezen zonder toverkracht naar binnen te sturen, en nu ga ik dat doen.'

Root glimlachte gevaarlijk. 'Jij kiest helemaal nergens voor,

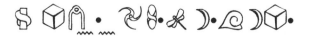

*luitenant*, tenzij ik daar toestemming voor geef.'

Knuppel zette onbewust een stap achteruit. 'Ik ben bij de Raad geweest, Julius. Zij staan volledig achter me.'

De commandant keerde zich naar Foaly. 'Is dat waar?'

'Het schijnt. Ik heb het net via de buitenlijn te horen gekregen. Dit is verder het feestje van Knuppel. Hij heeft de Raad verteld over het losgeld, en over dat jij meneer Graafmans hebt laten omkomen. Je weet hoe de ouderlingen zijn als het op goud weggeven aankomt.'

Root sloeg zijn armen over elkaar. 'Ik heb dingen over je gehoord, Knuppel. Men zei dat je me in de rug zou steken. Ik geloofde ze niet. Ik had ongelijk.'

'Dit gaat niet over ons, Julius. Dit gaat over de missie. Met wat er in deze kooi zit, maken we de grootste kans op succes.'

'Wat zit er dan in de kooi? Nee, zeg het maar niet. Het enige andere niet-magische wezen van de Lagere Elementen. En de eerste trol die wij in meer dan een eeuw tijd levend gevangen hebben weten te nemen.'

'Precies. Dit wezen is bij uitstek geschikt om onze vijand uit te schakelen.'

Roots wangen gloeiden van de inspanning die het hem kostte zijn woede in te houden. 'Dat je dat serieus overweegt, dat geloof ik gewoonweg niet.'

'Wees nou eerlijk, Julius, het is in feite hetzelfde idee als dat van jou.'

'Nee, dat is het niet. Turf Graafmans heeft zijn eigen keuzes gemaakt. Hij kende de risico's.'

'Is Graafmans dood?'

Root wreef weer in zijn ogen. 'Ja. Daar ziet het wel naar uit. Een instorting.'

'Dat bewijst maar weer eens dat ik gelijk heb. Een trol laat zich niet zo gemakkelijk uit de weg ruimen.'

'Het is een stom dier, verdomme! Een trol kan toch geen instructies opvolgen?'

Knuppel glimlachte, en door zijn vrees heen gloorde wat pasverworven vertrouwen. 'Wat voor instructies? We zetten hem alleen maar in de richting van het huis en dan maken we ons uit de voeten. Ik verzeker je dat die mensen ons zullen smeken binnen te komen en hen te redden.'

'En hoe zit het met mijn officier?'

'Ruim voordat kapitein Short gevaar loopt, hebben we de trol alweer terug, achter slot en grendel.'

'En dat kun jij garanderen?'

Knuppel wachtte even. 'Dat is een risico dat ik bereid ben... dat de Raad bereid is te nemen.'

'Politiek,' beet Root hem toe. 'Dit is allemaal politiek voor jou, Knuppel. Een mooie pluim op je hoed, onderweg naar een zetel in de Raad. Ik word kotsmisselijk van je.'

'Het zij zo, maar wij zetten deze strategie door. De Raad heeft mij tot Uitvoerend Commandant benoemd, dus als je onze persoonlijke geschiedenis niet even kunt laten rusten, moet je maken dat je wegkomt.'

Root deed een stap opzij. 'Rustig aan, *commandant*. Ik wil niets met deze slachtpartij te maken hebben. De eer is geheel aan u.'

Knuppel zette zijn beste ernstige gezicht op. 'Julius, ook al denk jij er anders over, toch is het zo dat het mij uitsluitend om de belangen van het Volk gaat.'

'Van één persoon in het bijzonder, dan,' snoof Root.

Knuppel besloot het over de boeg van de hoogstaande ethiek

te gooien. 'Ik hoef hier niet naar te luisteren. Elke seconde dat ik met jou praat, is een verspilde seconde.'

Root keek hem recht in de ogen. 'Dan heb je al met al toch zo'n zeshonderd jaar verspild, hè, *vriend*?'

Knuppel reageerde niet. Wat moest hij zeggen? Ambitie heeft een prijs, en die prijs is de vriendschap.

Knuppel wendde zich weer tot zijn team, een uitgelezen groepje elfen, die alleen hem trouw waren. 'Breng de zweefkooi naar de oprijlaan. We geven hem pas het groene licht als ik het zeg.'

Hij liep rakelings langs Root, zijn ogen keken overal heen behalve naar zijn vroegere vriend.

Foaly wilde hem niet laten gaan zonder er iets over gezegd te hebben. 'Hé, Knuppel.'

De Uitvoerend Commandant kon die toon niet tolereren, zeker niet op zijn eerste dag al. 'Pas op je woorden, Foaly. Niemand is onmisbaar.'

De centaur grinnikte. 'Zeer juist. Zo gaat dat in de politiek, hè, je krijgt maar één kans.'

Knuppels interesse was half en half gewekt, of hij nu wilde of niet.

'Als ik in jouw schoenen stond,' ging Foaly verder, 'en ik maar één kans had, echt maar één kans, om mijn kont op een zetel in de Raad te krijgen, dan zou ik mijn toekomst beslist niet aan een trol toevertrouwen.'

Plotseling ging Knuppels kersverse vertrouwen in rook op, om te worden vervangen door een glanzende bleekheid. Hij veegde zijn voorhoofd af en ging snel achter de zweefkooi aan, die op het punt van vertrekken stond.

'Tot kijk!' riep Foaly hem achterna. 'Morgen ben je mijn huiself!'

Root lachte. Dit was misschien wel de eerste keer dat hij een van Foaly's opmerkingen grappig vond. 'Goed gedaan, Foaly.' Hij grijnsde. 'Raak dat achterbakse element maar op zijn gevoelige plek, namelijk in zijn ambitie.'

'Bedankt, Julius.'

De grijns verdween nog sneller dan een gefrituurde slak uit de elfвι-kantine. 'Ik heb je gewaarschuwd voor dat Julius-gedoe, Foaly. Zorg nu dat ik die buitenlijn weer krijg. Ik wil dat dat goud klaarligt voor het geval Knuppels plan mislukt. Lobby bij al mijn aanhangers in de Raad. Ik weet zeker dat Lope op mijn hand is, en Cahartez ook, en misschien Vinyáya ook wel. Zij heeft altijd een zwak voor me gehad, onweerstaanbaar aantrekkelijk als ik ben.'

'Dat is natuurlijk een grapje.'

'Ik maak nooit grapjes,' zei Root, en hij zei het met een uitgestreken gezicht.


Holly had een plan. Min of meer. Verhuld door het schild rondsluipen, wat elfenwapens terug zien te vinden, en dan rotzooi trappen tot Fowl zich gedwongen zou zien haar vrij te laten. En als er voor een paar miljoen Ierse ponden aan goederen werd beschadigd, dan was dat mooi meegenomen.

Holly had zich in jaren niet zo goed gevoeld. Haar ogen vlamden van kracht en onder elke centimeter van haar huid sisten vonkjes. Ze was vergeten hoe heerlijk het voelde om op volle kracht te zijn.

Kapitein Short had het naar haar gevoel nu helemaal onder controle – ze was op jacht. Hier was ze voor opgeleid. Toen deze affaire net was begonnen, had het Moddervolk een voorsprong gehad. Maar nu waren de bakens verzet. Zij was de

jager en de mensen waren de prooi.

Holly liep de grote trap op, immer op haar hoede voor de reusachtige bediende. Met die persoon wenste ze geen enkel risico te nemen. Als die vingers zich om haar schedel sloten, was het gedaan met haar, helm of geen helm. Vooropgesteld dat ze een helm zou kunnen vinden.

Het enorme huis was net een grafkelder, zonder wat voor teken van leven dan ook in de gewelfde kamers. Wel griezelige portretten. Allemaal met die Fowl-ogen, argwanend en glinsterend. Holly besloot het hele zwikkie in de hens te steken als ze haar Neutrino 2000 weer had. Wraakzuchtig misschien, maar geheel gerechtvaardigd als je bedacht wat Artemis Fowl haar allemaal had aangedaan.

Ze liep snel de trap op, met de bocht mee naar het bovenste tussenbordes. Er kwam bleek licht door een kier onder de laatste deur van de gang. Holly legde haar handpalm tegen het hout om te voelen of er vibraties waren. Activiteit genoeg. Geschreeuw en voetstappen. Ze kwamen haar kant op gedenderd.

Holly sprong achteruit en drukte zichzelf plat tegen het fluwelen behang. Dat was maar net op tijd. Een dreigende gestalte vloog door de deur naar buiten en raasde de gang door, een wervelwind van luchtstromen achter zich latend.

'Juliet!' riep Butler, en de naam van zijn zus bleef nog lang nadat hij de trap af en verdwenen was, in de lucht hangen.

Maak je geen zorgen, Butler, dacht Holly. Die heeft de tijd van haar leven, gekluisterd aan *Worstelmania*. Maar de open deur betekende een welkome kans. Ze glipte naar binnen voor de mechanische arm hem weer kon sluiten.

Artemis Fowl zat te wachten, met anti-schildfilters op zijn bril bevestigd.

'Goedenavond, kapitein Short,' begon hij, met naar het zich liet aanzien zijn zelfvertrouwen volledig intact. 'Op het gevaar af dat ik afgezaagd klink, zou ik willen zeggen: ik verwachtte je al.'

Holly reageerde niet, ze keek haar gevangenbewaarder niet eens aan. In plaats daarvan scande ze de kamer snel, waarbij haar blik op elk oppervlak heel even bleef rusten.

'Je zit uiteraard nog steeds vast aan de beloftes die je eerder vanavond hebt gedaan...'

Maar Holly luisterde niet. Ze sprintte naar een roestvrijstalen werkbank die aan de muur vastzat.

'Dus in feite is onze situatie niet veranderd. Je bent nog steeds mijn gijzelaar.'

'Ja, ja,' mompelde Holly, terwijl ze haar vingers over de rijen met in beslag genomen Beveiligings-apparatuur liet gaan. Ze koos een met onzichtbaarheid beklede helm en liet die over haar puntige oren glijden. De kussens bliezen zich op, zodat ze haar kruin ook bedekten. Nu was ze veilig. Alle bevelen die Fowl verder zou geven, betekenden niets door het weerspiegelende vizier. Er gleed automatisch een draad-microfoon op zijn plaats. Ze had onmiddellijk contact.

'...op draaiende frequenties. Uitzending op draaiende frequenties. Holly, als je me kunt horen, zoek dan dekking.'

Holly herkende Foaly's stem. Eindelijk iets vertrouwds in deze krankzinnige situatie.

'Herhaal. Zoek dekking. Knuppel stuurt een...'

'Iets wat ik zou moeten weten?' zei Artemis.

'Stil,' siste Holly, bang geworden door de toon van Foaly's anders zo spottende stem.

'Nogmaals: ze sturen een trol naar binnen om je vrijlating voor elkaar te krijgen.'

199

Holly beefde. Knuppel had nu de leiding. Dat was niet best.

Fowl onderbrak haar weer. 'Dat is niet beleefd, hoor. Je gastheer geen antwoord geven.'

'Nou is het genoeg geweest!' snauwde Holly hem toe. Ze haalde haar vuist naar achteren, met haar vingers strak samengebald. Artemis verblikte of verbloosde niet. Waarom zou hij ook? Butler greep altijd in voordat er klappen konden worden uitgedeeld. Maar toen viel zijn blik ergens op, namelijk op een grote gestalte die de trap af rende, op de monitor van de eerste verdieping. Het was Butler.

'Dat klopt, rijk stinkerdje,' zei Holly gemeen. 'Dit keer moet je het alleen opknappen.'

En voor Artemis tijd had zijn ogen open te sperren, zette Holly een paar kilo extra stootkracht in haar elleboog en gaf haar ontvoerder een ram op zijn neus.

'Oef,' zei hij, terwijl hij op zijn kont viel.

'O ja! Dat was lekker!'

Holly richtte haar aandacht op de stem die in haar oor bromde.

'... we hebben een *loop* in alle camera's gestopt, zodat de mensen het niet zien als er iets over de oprijlaan aankomt. Maar hij is onderweg, neem dat van me aan.'

'Foaly. Foaly, over.'

'Holly? Ben jij dat?'

'De enige echte. Foaly, er is geen *loop*. Ik zie alles wat hier gebeurt.'

'Die slimme kleine... Hij moet het systeem opnieuw hebben opgestart.'

De oprijlaan was een wirwar van elfenbedrijvigheid. Knuppel was er, die zijn team van elfen hooghartig aanwijzingen stond

te geven. En in het midden van al die beroering stond een vijf meter hoge zweefkooi, drijvend op een luchtkussen. De kooi stond recht voor de deur van het landhuis, en de techneuten waren bezig een schokzegel op de omringende muur aan te brengen. Als dat werd geactiveerd, zouden diverse metalen staven in de sluiting van de verzegeling tegelijkertijd ontploffen, waardoor de deur er meteen uit zou vliegen. Als het stof was neergedaald zou de trol nog maar één kant op kunnen: het huis in.

Holly controleerde de andere monitoren. Butler was erin geslaagd Juliet haar cel uit te slepen. Ze waren van het kelderniveau naar boven gekomen en staken nu net de hal over. Precies in de vuurlinie.

'D'Arvit,' vloekte ze, en ze liep naar de werktafel.

Artemis steunde op zijn ellebogen. 'Je hebt me geslagen,' zei hij vol ongeloof.

Holly bond een Kolibrie om. 'Dat klopt, Fowl. En ik heb nog veel meer voor je in petto, dus je kunt je maar beter niet verroeren, voor je eigen bestwil.'

Artemis realiseerde zich dat hij dit keer nu eens geen gevat antwoord paraat had. Hij deed zijn mond open en wachtte tot zijn hersenen de gebruikelijke kernachtige reactie leverden. Maar er kwam helemaal niets.

Holly stopte de Neutrino 2000 in zijn holster. 'Zo is het maar net, Modderjongen. Het speelkwartier is voorbij. Het is tijd dat de professionals het van je overnemen. Als je braaf bent, koop ik een lolly voor je als ik terugkom.'

En toen Holly al een hele tijd weg was, vliegend onder de oude eikenhouten balken van de hal, zei Artemis: 'Ik hou niet van lolly's.'

Dat was een antwoord dat nergens op sloeg, en Artemis schrok meteen van zichzelf. Zielig eigenlijk: 'Ik hou niet van lolly's.' Geen enkel zichzelf respecterend crimineel meesterbrein zou betrapt willen worden op het gebruik van het woord 'lolly'. Voor gelegenheden als deze zou hij eigenlijk een database met gevatte antwoorden moeten samenstellen.

Het was goed mogelijk dat Artemis zo een hele tijd gezeten zou hebben, volstrekt los van de situatie zoals die zich voordeed, ware het niet dat de voordeur implodeerde, waardoor het landhuis op zijn grondvesten stond te schudden. Zoiets is genoeg om iemand van zijn dagdromen te beroven.

Een vleugelelf streek neer voor Uitvoerend Commandant Knuppel. 'De sluiting zit op zijn plaats, meneer.'

Knuppel knikte. 'Weet je zeker dat hij goed strak zit, kapitein? Ik wil niet dat die trol er aan de verkeerde kant uitkomt.'

'Strakker dan de portemonnee van een kobold. Er komt geen luchtbelletje door die verzegeling. Strakker dan een stinkworm die—'

'Prima, kapitein,' onderbrak Knuppel hem snel, voor de elf zijn hele beeldspraak kon opdreunen.

Naast hen schudde de zweefkooi heftig heen en weer, waardoor het geval bijna van zijn luchtkussen tuimelde.

'We kunnen die klojo maar beter de lucht in blazen, commandant. Als we hem er niet snel uit laten, zijn mijn jongens de hele volgende week bezig—'

'Prima, kapitein. De lucht in. In 's hemelsnaam, de lucht in.'

Knuppel ging snel achter het explosieschild staan en krabbelde een aantekening op het LCD-scherm van zijn

Palmtop. Memo: de elfen zeggen dat ze op hun woorden moeten letten. Ik ben nu tenslotte een *commandant*.

De vuilbekkende kapitein in kwestie draaide zich om naar de chauffeur van de zweefkooi. 'De lucht in, Mokkul. Schiet die deur maar uit z'n scharnieren.'

'Ja, meneer. Uit z'n scharnieren. Ik vat 'm.'

Knuppel kreunde. Morgen zou er een algemene vergadering zijn. Hoogste prioriteit. Tegen die tijd had hij de streep van commandant op zijn jasje. Zelfs een elf zou niet zo snel vloeken als de driedubbele eikel van de commandantuur hem toelachte.

Mokkul schoof zijn anti-granaatbril op zijn neus, ook al had de cabine een voorruit van kwarts. Die bril was cool. Meisjes waren er dol op. Althans, dat dacht Zwets. Hij verbeeldde zich dat hij een grimmig ogende waaghals was. Zo zijn vleugelelfen: geef ze een stel vleugels en ze denken dat ze een godsgeschenk voor vrouwen zijn. Maar de noodlottige queeste van Mokkul Zwets om indruk te maken op de dames is, alweer, een ander verhaal. In dit specifieke relaas dient hij slechts één doel, en dat luidt dat hij, heel melodramatisch, op de ontstekingsknop mag drukken. Wat hij dan ook doet, met veel bombarie.

Twee dozijn bestuurbare ladingen ontploften in hun kamer, waardoor twee dozijn metalen cilinders met meer dan vijftienhonderd kilometer per uur uit hun vuurmond schoten. Bij de inslag verpulverde elke staaf het contactgebied, plus de omringende vijftien centimeter, waardoor de deur inderdaad uit zijn scharnieren werd geschoten. Zoals de kapitein zou zeggen.

Toen het stof was neergedaald, draaiden de assistenten de afscheidingswand in de kooi met een windas omhoog, en begonnen met hun vlakke hand op de zijpanelen te slaan.

Knuppel gluurde vanachter het explosieschild. 'Alles vrij, kapitein?'

'Even wachten, verdomme, commandant. Mokkul? Hoe gaat ie?'

Mokkul keek op de monitor van de zweefkooicabine. 'Hij beweegt. Hij wordt bang van dat slaan. De klauwen komen naar buiten. Jezus, wat is die klojo groot. Ik zou niet graag dat Opsporings-grietje zijn als ze hem voor de voeten loopt.'

Knuppel voelde heel even een steek van schuldgevoel, die hij met zijn favoriete dagdroom wist te verdrijven: een beeld van hemzelf, wegzinkend in het beige velours van een Raadszetel.

De kooi ging flink heen en weer, waardoor Mokkul bijna uit zijn stoel werd gegooid. Hij wist als een rodeoruiter in het zadel te blijven.

'Wow! Hij is eruit! Alles in de aanslag, jongens. Ik heb zo'n gevoel dat we elk ogenblik iemand om hulp kunnen horen roepen.'

Knuppel deed niet aan dat in-de-aanslag-gedoe mee. Dat soort dingen liet hij graag aan de voetsoldaten over. De Uitvoerend Commandant vond zichzelf te belangrijk om zich aan een onveilige situatie te wagen. In het belang van het Volk in het algemeen was het beter dat hij buiten de actiezone bleef.

Butler stormde met vier treden tegelijk de trap op. Het was waarschijnlijk de eerste keer dat hij meester Artemis ooit in de steek had gelaten in een crisissituatie. Maar Juliet was familie, en er was overduidelijk iets ernstig mis met zijn kleine zusje. Die elf had iets tegen haar gezegd, en nu zat ze maar in de cel te giechelen. Butler vreesde het ergste. Als er iets met Juliet zou

gebeuren, wist hij niet hoe hij met zichzelf in het reine moest komen.

Hij voelde het zweet over de kruin van zijn geschoren hoofd druppelen. Deze hele situatie ging wel allerlei krankzinnige kanten op. Elfen, toverkracht en nu ook nog een loslopende gijzelaar in het huis. Hoe konden ze nou van hem verwachten dat hij alles onder controle hield? Voor de bewaking van de laagstgeplaatste politicus was al een team van vier man nodig, maar hij moest deze onmogelijke situatie in zijn dooie eentje opknappen.

Butler sprintte de gang door naar wat tot voor kort de cel van kapitein Short was geweest. Juliet lag met uitgespreide armen en benen op het bed, helemaal betoverd door een betonnen muur.

'Wat doe je daar?' vroeg hij, naar adem happend, terwijl hij met geoefend gemak de 9 mm Sig Sauer trok.

Zijn zusje keurde hem nauwelijks een blik waardig. 'Stil nou, grote aap. Simon de Sexbom is erop. Die is niet zo sterk, ik zou hem wel aankunnen.'

Butler knipperde met zijn ogen. Ze kletste uit haar nek. Ze was gedrogeerd, zo veel was duidelijk.

Juliet wees met een gemanicuurde vinger naar de muur. 'Laat Artemis maar wachten. Dit gaat om de internationale titel. En Zweinsma wil wraak. Simon heeft namelijk zijn varkentje opgegeten.'

De bediende bekeek de muur eens aandachtig. Daar was toch echt niets op te zien. Hier had hij geen tijd voor. 'Oké. We gaan,' gromde hij, terwijl hij zijn zus met een zwaai over zijn brede schouder legde.

'Nééééé! Naarling die je bent,' protesteerde ze nog, terwijl ze

met haar vuistjes op zijn rug beukte. 'Niet nu. Zweinsma! Zweinsmaaaa!'

Butler sloeg geen acht op haar tegenwerpingen en zette het soepeltjes op een lopen. Wie was die Zweinsma in godsnaam? Ongetwijfeld een van haar vriendjes. Hij zou voortaan beter in de gaten houden wie er allemaal naar de personeelswoning belde.

'Butler? Neem op.'

Het was Artemis, op de walkie-talkie. Butler schoof zijn zus een stukje omhoog zodat hij bij zijn riem kon.

'Lolly's!' blafte zijn werknemer.

'Nog 'ns? Ik dacht dat u zei—'

'Eh... ik bedoel: maak dat je wegkomt. Dekking! Zoek dekking!'

Zoek dekking? Deze militaire kreet klonk een beetje vreemd uit de mond van meester Artemis. Net een diamanten ring in een grabbelton. 'Zoek dekking?'

'Ja, Butler. Dekking. Ik dacht: ik gebruik primaire begrippen, die komen het snelst bij je cognitieve functies aan. Maar dat had ik dus helemaal mis.'

Dat leek er meer op. Butler keek of er in de hal een plekje was waar hij kon wegduiken. Er was niet veel keus. De enige schuilplaats bestond uit de middeleeuwse harnassen die op regelmatige afstand van elkaar aan de muur hingen. De bediende dook in de alkoof achter een veertiende-eeuwse ridder, compleet met lans en strijdknots.

Juliet klopte tegen het borstschild. 'Dacht jij soms dat je gemeen was? Ik kan jou met één hand aan, jochie.'

'Stil,' siste Butler.

Hij hield zijn adem in en luisterde. Er kwam iets naar de

hoofdingang toe. Iets groots. Butler boog zich net ver genoeg naar buiten om de hal te kunnen zien...

Je zou kunnen zeggen dat vervolgens de deur explodeerde, maar dat specifieke werkwoord doet geen recht aan wat er gebeurde. Het was eerder zo dat de deur in oneindig kleine stukjes uit elkaar vloog. Butler had zoiets één keer eerder zien gebeuren, toen een aardbeving met kracht zeven in golven door het landgoed van een Colombiaanse drugsbaron was getrokken, een paar seconden voordat hijzelf volgens plan de boel zou hebben opgeblazen. Dit was een beetje anders. Dit was meer plaatselijk. Zeer professioneel. Klassieke anti-terroristentactiek. Aanvallen met rook en kabaal, en dan naar binnen gaan terwijl het doelwit gedesoriënteerd is. Dit betekende rottigheid, wie of wat er ook in aantocht was. Hij wist het zeker. Hij was ervan overtuigd.

De stofwolken daalden langzaam neer en lieten een wit laagje op het Tunesische kleed achter. Madam Fowl zou razend zijn geweest, als ze ooit een teen buiten de zolderkamer zou hebben gezet. Butlers instinct zei dat hij weg moest. Over de begane grond zigzaggen, op weg naar de hogere regionen. Laag blijven, om een zo klein mogelijk doelwit te vormen. Dit zou er het uitgelezen ogenblik voor zijn, voor het zicht weer helder werd. Er kon nu elk moment een kogelregen door de hal fluiten, en als hij dan ergens niet wilde vastzitten was het wel op een benedenverdieping.

Elke andere keer zou Butler ook gegaan zijn. Hij zou al halverwege de trap naar boven zijn voor zijn hersenen tijd hadden gehad om er nog eens over na te denken. Maar vandaag had hij zijn kleine zusje over zijn schouder, die wartaal uitsloeg, en als hij iets niet wilde, dan was het wel haar aan een

moorddadige aanval blootstellen. Nu Juliet in deze conditie verkeerde, zou ze de elfencommando's waarschijnlijk uitnodigen voor een worstelwedstrijd. En hoewel zijn zus stoere taal uitsloeg, was ze eigenlijk nog maar een kind. Geen partij voor goed getraind militair personeel. Dus bleef Butler op zijn hurken zitten, duwde Juliet achter een harnas tegen het wandtapijt en controleerde zijn veiligheidspal. Die was eraf. Mooi. *Kom me maar halen, elfenjochies.*

Er bewoog iets in de stofnevel. Het was Butler onmiddellijk duidelijk dat dat *iets* geen mens was. De bediende had al zo veel safari's meegemaakt dat hij wel wist of hij een dier voor zich had of niet. Hij keek aandachtig naar de manier van lopen van dit wezen. Mogelijk een aap. Dezelfde bouw van het bovenlichaam als een aap, maar groter dan welke mensaap dan ook die Butler ooit had gezien. Als het een aap was, dan had hij niet veel aan zijn handwapen. Je kon wel vijf kogels in de schedel van een mannetjesaap jagen, dan nog had hij tijd genoeg om je op te eten voor zijn hersens zich realiseerden dat hij dood was.

Maar het was geen aap. Apen hadden geen nachtogen. Dit wezen wel. Glanzende rode pupillen, half verscholen achter ruige lokken over het voorhoofd. Ook slagtanden, maar niet die van een olifant. Deze waren krom, met gekartelde randen. Slagerswapens. Butler voelde een tinteling onder in zijn buik. Dat gevoel had hij maar één keer eerder gehad. Op zijn eerste dag op de Zwitserse academie.

Angst.

Het wezen stapte uit de stofnevel. Butler hapte naar adem. Ook voor de eerste keer sinds hij van de academie af was. Zo'n tegenstander had hij nog nooit tegenover zich gehad. De bediende realiseerde zich ogenblikkelijk wat de elfen gedaan

hadden. Ze hadden een oerjager naar binnen gestuurd. Een wezen dat geen boodschap had aan toverkunst of regels. Een ding dat gewoon alles wat op zijn pad kwam zou doden, ongeacht wat voor soort het was. Dit was het volmaakte roofdier. Dat zag je zo aan de vleesverscheurende punten van zijn tanden, aan het geronnen bloed dat in een korst onder zijn klauwen zat en aan de zuivere haat die uit zijn ogen straalde.

De trol schuifelde naar voren, knipperend tegen het licht van de kroonluchter. Geelgeworden klauwen schraapten over de marmeren tegels en deden daarbij vonken opspringen. Het snoof nu, een soort vreemde manier van snorken, met zijn hoofd naar één kant. Butler had die houding al eens eerder gezien – bij uitgehongerde pitbulls, vlak voor hun Russische africhters ze tijdens een berenjacht loslieten.

De ruige kop hield zich stil, met zijn snuit recht op Butlers schuilplaats gericht. Dat was geen toeval. De bediende gluurde tussen de maliënvingers van een kaphandschoen door. Nu kwam de besluiping. Zodra het roofdier een geur op het spoor was, zou hij langzaam en stil proberen te naderen, alvorens tot een bliksemaanval over te gaan.

Maar de trol had het roofdierenhandboek duidelijk niet gelezen, want hij probeerde helemaal niet ongemerkt toe te sluipen, maar ging meteen tot de bliksemaanval over. Zich sneller voortbewegend dan Butler voor mogelijk had gehouden sprong hij de hal door en gooide het middeleeuwse harnas opzij alsof het een etalagepop was.

Juliet knipperde met haar ogen. 'O,' zei ze ademloos. 'Dat is Roy Reuzenvoet. Canadees kampioen van negentienacht-ennegentig. Ik dacht dat jij in de Andes was, op zoek naar je familie.'

Butler nam niet de moeite haar te verbeteren. Zijn zus was niet bij haar volle verstand. Nu zou ze in ieder geval gelukkig sterven. Terwijl Butlers hersenen nog over deze griezelige constatering nadachten, kwam de hand met zijn wapen omhoog.

Hij haalde de trekker over, zo snel als het Sig Sauer-mechanisme toestond. Twee in de borst, drie tussen de ogen. Dat was zijn bedoeling. Die borstschoten wist hij te lossen, maar voor Butler de formatie kon afmaken, maakte de trol daar een eind aan. Dit deed hij door zijn maaiende slagtanden onder Butlers schuilplaats te steken. Ze krulden zich rond zijn broek en gleden door zijn verstevigde Kevlar-jasje als een scheermes door rijstpapier.

Butler voelde een koude pijn toen het gekartelde ivoor zijn borst doorboorde. Hij wist meteen dat de wond dodelijk was. Zijn adem ging moeizaam. Dat betekende dat er een long geraakt was, en het bloed gulpte over de pels van de trol. Zijn blóed. Zíjn bloed. Niemand kon zo veel bloed verliezen en dan nog blijven leven. Toen werd de pijn onmiddellijk vervangen door een vreemdsoortige euforie. Een bepaald natuurlijk verdovend middel dat door kanaaltjes in de slagtanden van het beest werd geïnjecteerd. Gevaarlijker dan het dodelijkste vergif. Binnen een paar minuten zou Butler niet alleen de strijd opgeven, maar zou hij zelfs giechelend zijn graf ingaan.

De bediende vocht tegen de verdovende stof in zijn lichaam en worstelde als een gek om uit de greep van de trol los te komen. Maar het was tevergeefs. Zijn strijd was eigenlijk al voorbij voor hij was begonnen.

De trol gromde en gooide het slappe mensenlichaam over zijn hoofd naar achteren. Butlers potige gestalte sloeg tegen de

muur met een snelheid waar menselijke botten niet tegen bestand waren. Van de vloer tot het plafond scheurden de bakstenen. Butlers ruggengraat ook. Als hij nu al niet aan het bloedverlies bezweek, dan bezweek hij wel aan de verlamming.

Juliet was nog steeds helemaal onder invloed van de mesmer. 'Kom op, broertje. Sta eens op van de mat. We weten allemaal dat je maar doet alsof.'

De trol wachtte even, want er was toch iets van een fundamentele nieuwsgierigheid bij hem gewekt door dit gebrek aan angst. Hij zou een list verwacht hebben, als hij een dergelijke ingewikkelde gedachte zou hebben kunnen formuleren. Maar uiteindelijk won zijn eetlust het toch van zijn nieuwsgierigheid. Dit wezen rook naar vlees. Vers en mals. Vlees van boven de grond was heel anders. Doorspekt met geuren van de aarde. Als je eenmaal openluchtvlees hebt geproefd, valt het niet mee om terug te gaan. De trol liet zijn tong over zijn snijtanden gaan en stak een ruigbehaarde hand uit...

Holly legde de Kolibrievleugels dicht tegen haar bovenlichaam en liet zich in een beheerste duikvlucht omlaagvallen. Ze scheerde langs de balustrade en kwam uit in het portaal, onder een koepel van gebrandschilderd glas. Het licht van de tijdsstilstand filterde er onnatuurlijk doorheen, verdeeld in dikke, azuurblauwe bundels.

Licht, dacht Holly. Het groot licht van de helm had al eerder gewerkt, dus er was geen reden waarom dat nu niet zou werken. Het was te laat voor de man, die was nu een zak vol gebroken botten. Maar de vrouw – ze had nog een paar seconden voor de trol haar zou openrijten.

Holly wervelde omlaag door het onwereldse licht, en zocht

ondertussen naar de Sonix-knop op het bedieningspaneel van haar helm. Sonix werd meestal voor hondachtigen gebruikt, maar in dit geval zou het even voor afleiding kunnen zorgen. Genoeg om haar tot grondniveau te laten afdalen.

De trol liep heel slinks op Juliet af. Die beweging werd meestal gebruikt als iemand volkomen weerloos was. De klauwen zouden zich onder de ribben krommen en daarbij het hart verscheuren. Minimale schade aan het vlees, en geen plotselinge spanning op het laatste moment waardoor het vlees taai werd.

Holly activeerde haar Sonix en... er gebeurde niets. Dat was niet best. Over het algemeen zou een gemiddelde trol op z'n minst al geïrriteerd raken door de ultra-hogefrequentietoon. Maar dit beest schudde niet eens zijn schunnige kop. Er waren twee mogelijkheden: 1) de helm deed het niet goed, en 2) deze trol was zo doof als de spreekwoordelijke kwartel. Jammer genoeg kon Holly dat niet weten, aangezien de tonen voor elfenoren niet te horen waren.

Wat het probleem ook was, Holly werd hierdoor gedwongen een strategie te volgen waar ze liever niet haar toevlucht toe had genomen. Een rechtstreekse confrontatie. En dat allemaal om een mensenleven te redden.

Holly rukte aan de pook, zo van de vierde versnelling in zijn achteruit. Niet erg goed voor de koppeling. Daar zou ze voor op haar kop krijgen van de techneuten, mocht het onwaarschijnlijke geval zich voordoen dat ze deze doorlopende nachtmerrie echt zou overleven. Het effect van dit knerpen van de koppeling was dat ze midden in de lucht over de kop ging, zodat de hakken van haar laarzen recht naar het hoofd van de trol wezen. Holly kreunde. Twee confrontaties met dezelfde trol. Niet te geloven.

Haar hakken troffen het beest vol op de kruin van zijn hoofd. Met die snelheid zat er minstens een halve ton zwaartekracht achter deze botsing. Het was aan de versterkte ribbels in haar pak te danken dat Holly's benen niet aan gort werden geslagen. Toch hoorde ze haar knie knakken. De pijn klauwde zich een weg naar haar voorhoofd. Ook haar manoeuvre om zichzelf veilig te stellen ging in rook op. In plaats van zichzelf naar een veilige hoogte terug te laten drijven, stortte Holly neer op de rug van de trol, waar ze meteen in zijn touwachtige pels verstrikt raakte.

De trol was meteen geïrriteerd. Hij was niet alleen door iets van zijn maaltijd afgeleid, maar nu had dat iets zich ook nog in zijn pels genesteld, samen met de kogels van de Sig. Het beest ging rechtop staan en stak een klauw over zijn eigen schouder. De kromme nagels schuurden tegen Holly's helm en trokken daarbij evenwijdige groeven in het metaal. Juliet was eventjes veilig, maar Holly had haar plaats op de lijst met bedreigde individuen ingenomen.

De trol kneep harder en kreeg daardoor op de een of andere manier greep op de anti-aanpaklaag van de helm, die volgens Foaly absoluut niet vast te grijpen was. Daar zou nog een hartig woordje over worden gesproken. Zo niet in dit leven, dan toch zeker in het volgende. Kapitein Short merkte dat ze omhooggetild werd en haar oude vijand recht in het gezicht keek. Ze deed haar uiterste best om zich door de pijn en de verwarring heen te blijven concentreren. Haar been slingerde heen en weer, en de adem van de trol sloeg in ranzige golven over haar gezicht.

Ze had een plan gehad, waar of niet? Ze was vast niet alleen maar naar beneden gevlogen om zich op te krullen en te sterven. Er moest een strategie zijn geweest. Al die jaren op de Academie moesten haar toch íets geleerd hebben. Wat haar plan ook geweest mocht zijn, het zweefde nu ergens buiten haar bereik rond tussen de pijn en de shock. Buiten bereik.

'De lichten, Holly...'

Een stem in haar hoofd. Waarschijnlijk was ze in zichzelf aan het praten. Een buitenhoofd-ervaring. Ha, ha. Ze moest eraan denken dat ze dat aan Foaly vertelde... Foaly?

'Doe de lichten aan, Holly. Als die slagtanden hun werk gaan doen, ben je dood voor de toverkracht eraan te pas kan komen.'

'Foaly? Ben jij het?' Misschien had Holly dit hardop gezegd, maar misschien had ze het ook alleen maar gedacht. Ze wist het niet.

'Het groot licht van de tunnel, kapitein!' Een andere stem. Een stuk minder schattig. 'Druk op die knop, nu! Dit is een bevel!'

Oeps. Het was Root. Ze bakte er weer niets van. Eerst Hamburg, toen Martina Franca, nu dit.

'Ja, meneer,' mompelde ze, terwijl ze probeerde professioneel te klinken.

'Druk op die knop! Nu, kapitein Short!'

Holly keek de trol recht in zijn meedogenloze ogen en drukte op de knop. Heel dramatisch. Althans, dat had het kunnen zijn, als de lichten het gedaan hadden. Spijtig genoeg voor Holly had ze in haar haast een van de helmen gepakt die door Artemis Fowl gekannibaliseerd waren. Dus geen Sonix, geen filters en geen tunnellichten. De halogeenlampen zaten er nog wel in, maar de draadjes waren tijdens het onderzoek van Artemis los komen te zitten.

'O god,' fluisterde Holly.

'O god!' blafte Root. 'Wat heeft dat te betekenen?'

'De lichten zijn niet aangesloten,' legde Foaly uit.

'O...' Roots stem stierf weg. Wat viel er verder nog te zeggen?

Holly keek met samengeknepen ogen naar de trol. Als je niet wist dat trollen domme dieren waren, zou je zweren dat het beest stond te grijnzen. Terwijl het bloed uit diverse borstwonden druppelde, stond het te grijnzen. Het beviel kapitein Short helemaal niet dat er naar haar gegrijnsd werd.

'Lach hier maar om,' zei ze, en ze ramde de trol met het enige wapen dat haar nog restte. Haar gehelmde hoofd.

Het was ongetwijfeld heel moedig, maar ongeveer zo effectief als wanneer je een boom met een veertje probeerde om te hakken. Gelukkig had de onfortuinlijke stoot een bijwerking: gedurende een fractie van een seconde kwamen twee draadjes van een gloeidraad tegen elkaar, waardoor er naar een van de tunnellichten elektriciteit stroomde. Wit licht van vierhonderd watt sterk denderde door de rode ogen van de trol en zond bliksemschichten van pijn naar de hersenen.

'Hè, hè,' mompelde Holly in de seconde voordat de trol onwillekeurige spasmen begon te maken. Door die spasmen tolde ze over de parketvloer, met haar been achter zich aan wiebelend.

De muur kwam met een angstaanjagende snelheid op haar af. Misschien, dacht Holly hoopvol, is dit een van die inslagen waarvan je de pijn pas veel later voelt. Nee, antwoordde haar pessimistische kant, ben bang van niet. Ze sloeg tegen een Normandisch wandtapijt, dat daardoor naar beneden kwam en boven op haar viel. De pijn sloeg onmiddellijk toe en was overweldigend.

'Oe-oef,' gromde Foaly. 'Dat voelde ik. Het beeld is weg, de

pijnsensoren sloegen helemaal door. Je longen zijn naar de knoppen, kapitein. We zullen je een tijdje kwijt zijn. Maar maak je geen zorgen, Holly, je toverkracht zou nu al zijn werk moeten gaan doen.'

Holly voelde de blauwe tinteling van de toverkracht inderdaad naar haar verwondingen stromen. Godzijdank dat er eikels bestonden. Maar het was te weinig en te laat. De pijn ging haar grens ruim te boven. Vlak voor Holly bewusteloos raakte, plofte haar hand onder het wandtapijt uit. Hij kwam op Butlers arm terecht, op de blote huid. Verbazend genoeg was de mens niet dood. Een hardnekkige hartslag dwong het bloed door de geplette ledematen.

Genees, dacht Holly. En de toverkracht joeg door haar vingers.


De trol zat met een dilemma: welke vrouw moest hij als eerste opeten? Keuzes, keuzes. Deze beslissing werd er niet gemakkelijker op gemaakt door de aanhoudende pijn die rond zijn ruigbehaarde hoofd zoemde, of door het groepje kogels dat in het vette borstweefsel zat. Op een gegeven moment viel de keus op de aardebewoner. Zacht mensenvlees. Geen taaie elfenspieren die je weg moest kauwen.

Het beest ging op zijn hurken zitten en tilde de kin van het meisje met een gelige klauw op. Langs haar hals liep de lome lus van een kloppende ader. Het hart of de hals? vroeg de trol zich af. De hals, die was dichterbij. Hij kantelde de klauw zodat de rand tegen het zachte mensenvlees drukte. Eén scherpe haal en het meisje zou met haar eigen hartslag het bloed uit haar lichaam jagen.

Butler werd wakker, wat op zichzelf al een hele verrassing was. Hij wist onmiddellijk dat hij in leven was, door de ziedende pijn die door elke kubieke centimeter van zijn lichaam trok. Dit was niet best. Hij mocht dan in leven zijn, maar gezien het feit dat zijn nek in een draai van honderdtachtig graden lag zou hij nooit meer iets eenvoudigs kunnen doen als de hond uitlaten, laat staan zijn zus redden.

De bediende draaide met zijn vingers. Die deden vreselijke pijn, maar er zat tenminste nog beweging in. Het was verbazingwekkend dat hij sowieso nog motorische functies had, als je bedacht wat voor schade zijn ruggengraat had opgelopen. Zijn tenen leken ook in orde, maar dat zou een fantoomreactie kunnen zijn, gegeven het feit dat hij ze niet kon zien.

Zijn borstwond leek te zijn gestopt met bloeden, en hij dacht helder. Al met al was hij er veel beter aan toe dan waar hij recht op had. Wat was hier in 's hemelsnaam gaande?

Butler zag iets. Er dansten allemaal blauwe vonkjes over zijn bovenlichaam. Hij was vast aan het hallucineren – hij verzon allemaal aangename beelden om zichzelf van het onvermijdelijke af te leiden. Een heel realistische hallucinatie, dat moet gezegd worden.

De vonken kwamen op de plaats van de verwondingen samen, en zakten daar onder de huid weg. Butler huiverde. Dit was geen hallucinatie. Er was hier iets heel bijzonders gaande. Iets betoverends.

Betoverends? Dat deed een lichtje in zijn net weer op orde geraakte schedel opgaan. Elfentoverkracht. Iets was bezig zijn verwondingen te genezen. Hij draaide zijn hoofd en kreunde toen de glijdende wervels tegen elkaar schuurden. Er lag een hand op zijn onderarm. Uit de ranke elfenvingers stroomden

vonkjes, die intuïtief op zere plekken, scheuren en breuken af gingen. Het ging om een heleboel verwondingen, maar de kleine vonkjes handelden ze allemaal snel en effectief af. Net een leger mystieke bevers die stormschade repareerden.

Butler kon zelfs voelen hoe zijn botten weer aan elkaar groeiden en hoe het bloed zich uit half gestolde korstjes terugtrok. Toen zijn wervels weer in elkaar gleden, draaide zijn hoofd zich onwillekeurig om, en toen de toverkracht de drie liter bloed herstelde die hij door zijn borstwond was verloren, kwam zijn kracht met enorme snelheid teruggestroomd.

Butler sprong op – echt, hij sprong! Hij was zichzelf weer. Nee. Hij was meer dan dat. Hij was sterker dan hij ooit was geweest. Sterk genoeg om nog een aanval op dat beest te wagen dat over zijn kleine zusje gebogen stond.

Hij voelde dat zijn verjongde hart zich als een ronkende buitenboordmotor opvoerde. Rustig, maande Butler zichzelf. Passie is de vijand van de efficiency. Maar rustig of niet, de situatie was hopeloos. Dit beest had hem al één keer min of meer gedood, en in deze ronde had hij niet eens de Sig Sauer. Afgezien van zijn eigen vaardigheden zou het toch fijn zijn als hij een wapen had. Iets wat een beetje zwaar in de hand lag. Zijn laars sloeg tegen een metaalachtig voorwerp aan. Butler keek omlaag naar de brokstukken die de trol in zijn kielzog had achtergelaten... Perfect.

Op het scherm was alleen maar sneeuw te zien.

'Kom op,' drong Root aan. 'Schiet op!'

Foaly duwde zijn meerdere met zijn elleboog opzij. 'Als jij nou eens niet alle printplaten blokkeerde.'

Root schoof mopperend opzij. Hij vond dat het de schuld van

de printplaat was dat die achter hem stond. Het hoofd van de centaur verdween in een toegangspaneel.

'Heb je iets?'

'Nee, niets. Alleen storing.'

Root sloeg tegen het scherm. Niet zo slim. Ten eerste omdat er geen schijn van kans was dat dat daadwerkelijk hielp, en ten tweede omdat plasmaschermen na langdurig gebruik uitzonderlijk heet worden.

'D'Arvit!'

'Van dat scherm afblijven, trouwens.'

'O, haha. Nu hebben we opeens tijd voor grapjes, hè?'

'Nee, eigenlijk niet. Heb je nu beeld?'

De sneeuw veranderde in herkenbare vormen.

'Ja, dat is 'm. Hou vast. We hebben beeld.'

'Ik heb de noodcamera geactiveerd. Een gewone oude videocamera, maar we zullen het er mee moeten doen.'

Root zei niets. Hij keek naar het scherm. Dit moest een film zijn. Dit kon niet het echte leven zijn.

'Nou, wat gebeurt er daarbinnen? Iets interessants?'

Root probeerde antwoord te geven, maar zijn soldatenvocabulaire beschikte gewoonweg niet over de juiste superlatieven.

'Wat? Wat is er?'

De commandant waagde een poging. 'Het is... de mens... Ik heb nog nooit... O, laat maar zitten, Foaly. Je zult het met eigen ogen moeten bekijken.'

Holly sloeg de hele episode door een kier in de plooien van het wandtapijt gade. Als ze het niet gezien had, zou ze het niet geloofd hebben. Pas toen ze de video voor haar rapportage opnieuw bekeek, wist ze zeker dat het niet allemaal een

hallucinatie was geweest, veroorzaakt door een bijna-doodervaring. Het geval wil dat de video-opname een soort legende werd, die aanvankelijk de ronde deed op de kabeltelevisie, in programma's als *Amateur Home Movies*, en die uiteindelijk in het onderwijsprogramma van de elfʙɪ-Academie terecht zou komen.

De mens, Butler, was bezig een middeleeuws maliënkolder aan te trekken. Het was bijna niet te geloven, maar hij leek van plan de confrontatie met de trol aan te gaan. Holly probeerde hem te waarschuwen, probeerde geluid te maken, maar de toverkracht had haar geplette longen nog niet opnieuw lucht ingeblazen.

Butler deed zijn vizier dicht en hief een gevaarlijke knots. 'Zo,' gromde hij door het rooster heen, 'ik zal je eens laten zien wat er gebeurt als iemand mijn zusje met ook maar één vinger aanraakt.'

De mens zwaaide met de knots alsof het de pompon van een cheerleader was, en ramde hem tussen de schouderbladen van de trol. Zo'n slag mocht dan misschien niet fataal zijn, maar hij leidde de trol wel af van zijn slachtoffer.

Butler plantte zijn voet vlak boven de heupen van het wezen en sjorde het wapen los. Het liet met een ziekmakend zuigend geluid los. Hij deed een sprong naar achteren en nam een verdedigende houding aan.

De trol kwam op hem af, met alle tien zijn klauwen tot volle lengte uitgeslagen. Op de punt van beide slagtanden glinsterden druppels gif. Het spel was uit. Maar dit keer zou er geen bliksseminslag zijn. Het beest was op zijn hoede, het was al een keer gewond geraakt. Deze nieuwste aanvaller zou dezelfde behandeling krijgen als elk ander mannetje van zijn soort. In de

ogen van de trol was zijn territorium geschonden. En er was maar één manier om een dergelijk conflict op te lossen. Dezelfde manier waarop trollen elk conflict oplosten...

'Ik moet je waarschuwen,' zei Butler met een uitgestreken gezicht. 'Ik ben gewapend en bereid indien nodig dodelijk geweld te gebruiken.'

Holly zou als ze kon gekreund hebben. Wat een grap! De mens probeerde een trol tot een woordenwisseling tussen macho's te verleiden! Toen besefte kapitein Short dat ze zich vergiste. De woorden waren niet belangrijk, maar het ging om de toon die hij gebruikte. Kalm, kalmerend. Als een africhter met een opgeschrikte eenhoorn.

'Ga weg bij de vrouw. Rustig maar.'

De trol blies zijn wangen op en brulde. Bluf. Hij was aan het aftasten.

Butler verblikte of verbloosde niet. 'Ja, ja. Heel eng, hoor. Loop nu maar achteruit de deur uit, dan hoef ik je niet aan mootjes te hakken.'

De trol snoof, beledigd door deze reactie. Meestal was zijn gebrul genoeg om ongeacht welk wezen hij voor zich had meteen weg te jagen.

'Stapje voor stapje. Langzaamaan. Rustig maar, grote jongen.'

Je kon het bijna in de ogen van de trol zien: een flits van onzekerheid. Misschien was deze mens—

En op dat moment sloeg Butler toe. Hij danste onder de slagtanden door en hamerde er met zijn middeleeuwse wapen een verwoestende stoot in. De trol wankelde achteruit, waarbij zijn klauwen woest om zich heen grepen. Maar het was te laat. Butler was al buiten zijn bereik, en vloog naar de andere kant van de gang.

De trol denderde achter hem aan, terwijl hij losse tanden uit zijn tot moes geslagen bek spoog. Butler liet zich op zijn knieën zakken, gleed opzij, draaide rond en liet zich als een kunstschaatser over de geboende vloer glijden. Hij dook weg en maakte pirouettes, terwijl hij zijn achtervolger bleef aankijken.

'Raad eens wat ik heb gevonden?' zei hij, terwijl hij de Sig Sauer omhoogstak.

Dit keer geen schoten in de borst. Butler schoot de rest van het magazijn van het automatisch pistool leeg in een diameter van tien centimeter tussen de ogen van de trol. Jammer genoeg voor Butler hebben trollen, doordat ze elkaar al duizenden jaren lang te lijf gaan, een dikke richel van bot ontwikkeld die hun voorhoofd bedekt. En dus slaagde zijn voorbeeldige spreiding er niet in de schedel te doorboren, ondanks de met teflon beklede lading.

Maar hoe het ook zij, geen enkel wezen op aarde kan tien Verwoester-kogels negeren, en de trol vormde daar geen uitzondering op. De kogels sloegen een verpletterende tattoo op zijn schedel, en zorgden voor een acute hersenschudding. Het dier wankelde achteruit en sloeg naar zijn eigen voorhoofd. Butler zat hem binnen een tel op zijn huid en zette één ruigbehaarde voet vast onder de pinnen van de knots.

De trol was van slag door de schok, verblind door bloed en half lam. Een normaal iemand zou een fractie wroeging voelen. Zo niet Butler. Hij had al te veel mensen door gewonde dieren verscheurd zien worden. Dit was het gevaarlijke moment. Het was geen moment voor genade, het was het moment om met uiterste precisie de definitieve slag toe te brengen.

Holly kon alleen maar hulpeloos toekijken hoe de mens zorgvuldig richtte en het gewonde wezen een reeks verlammende slagen toediende. Allereerst schakelde hij de pezen uit, waardoor de trol op zijn knieën zakte, vervolgens liet hij de knots voor wat hij was en ging hij aan de slag met zijn gehandschoende handen, die misschien wel dodelijker waren dan de knots ooit had kunnen zijn. De ongelukkige trol vocht jammerlijk terug en slaagde er zelfs nog in een paar oppervlakkige stoten toe te brengen. Maar die wisten het antieke maliënkolder niet te doorboren. In de tussentijd ging Butler als een chirurg te werk. Hij ging ervanuit dat het lichaam van de trol min of meer gelijk was aan dat van de mens, en vuurde slag na slag op het domme wezen af, waardoor er binnen een paar seconden alleen een hoopje rillend pelshaar van over was. Het was een treurige vertoning. En nog was de bediende niet klaar. Hij deed de bebloede kaphandschoenen uit en deed een nieuw magazijn in het handwapen.

'Eens kijken hoeveel bot je onder je kin hebt.'

'Nee,' kreet Holly met de eerste adem die ze weer in haar lijf had. 'Niet doen!'

Butler lette niet op haar, en ramde de loop onder de kaak van de trol.

'Niet doen... Dat ben je me wel verschuldigd.'

Butler wachtte even. Juliet was in leven, dat was waar. In de war, maar in leven. Hij duwde met zijn duim de hamer van zijn pistool omhoog. Elke hersencel in zijn hoofd schreeuwde hem toe de trekker over te halen. Maar Juliet was in leven.

'Je bent het me verschuldigd, mens.'

Butler zuchtte. Hier zou hij later spijt van krijgen.

'Goed dan, kapitein. Ik laat het beest leven. Voorlopig. Hij heeft geluk: ik ben in een goeie bui.'

Holly maakte een geluid. Iets tussen jammeren en grinniken in.

'Laten we dan nu onze harige vriend vriendelijk de deur wijzen.'

Butler rolde de bewusteloze trol op een harnaskarretje en trok hem naar de vernielde deur. Met een enorme zet gooide hij het hele zootje de uitgestelde nacht in.

'En niet terugkomen!' riep hij.

'Verbazingwekkend,' zei Root.

'Zeg dat wel,' zei Foaly instemmend.

# Troef achter de hand

Artemis probeerde de deurknop en kreeg voor zijn moeite een verschroeide handpalm terug. Verzegeld. De elf moest hem met haar wapen hebben beschoten. Heel slim. Een variabele minder in de vergelijking. Precies wat hij zelf ook gedaan zou hebben.

Artemis verspilde verder geen tijd aan pogingen om de deur open te krijgen. Het was gewapend staal, en hij was twaalf jaar. Je hoefde geen genie te zijn om dat te kunnen verzinnen, ook al was hij er wel een. In plaats daarvan liep de rechtmatige Fowl-erfgenaam naar de monitorwand en volgde vandaar de ontwikkelingen.

Hij wist onmiddellijk wat de elfBI in zijn schild voerde: de trol naar binnen sturen om hulpgeroep af te dwingen en dat als een uitnodiging op te vatten – en voor je het wist was een brigade van koboldstoottroepen bezig het landhuis in te nemen. Slim. En onvoorzien. Dit was de tweede keer dat hij zijn tegenstanders had onderschat. Maar er zou hoe dan ook geen derde keer komen.

Naarmate het drama zich op de monitoren ontvouwde, schoten Artemis' gevoelens van afschuw naar trots. Butler had het 'm geflikt. Hij had de trol verslagen, en dat zonder dat er ook maar één enkele smeekbede om hulp zijn lippen was gepasseerd. Terwijl Artemis naar het scherm zat te kijken drong

225

het goed tot hem door, en misschien wel voor de eerste keer, hoe onmisbaar de familie Butler was.

Artemis activeerde de radio met drie frequentiebanden, die op alle frequenties uitzond. 'Commandant Root, ik neem aan dat u alle kanalen in de gaten houdt...'

Een paar tellen lang kwam er helemaal niets uit de speakers, behalve ruis, en toen hoorde Artemis de scherpe klik van een microfoon die aangezet werd.

'Ik hoor je, mens. Wat kan ik voor je doen?'

'Spreek ik met de commandant?'

Door het zwarte gaas filterde een geluid. Het klonk als gehinnik.

'Nee. Dit is niet de commandant. Ik ben Foaly, de centaur. Ben jij de kidnappende, misdadige mens?'

Het duurde even voor tot Artemis het feit doordrong dat hij werd beledigd. 'Meneer... eh... Foaly. U hebt klaarblijkelijk niet uw handboek psychologie bestudeerd. Het is niet verstandig om de gijzelnemer tegen zich in het harnas te jagen. Ik zou onevenwichtig kunnen zijn.'

'Onevenwichtig *kunnen* zijn? Dat is geen kwestie van *kunnen zijn*. Niet dat het er veel toe doet. Nog even en je bent toch niet meer dan een wolk radioactieve moleculen.'

Artemis grinnikte. 'Dat zie je verkeerd, viervoetige vriend. Tegen de tijd dat die biobom tot ontploffing is gebracht, ben ik al lang uit deze tijdsstop verdwenen.'

Nu was het Foaly's beurt om te grinniken. 'Je bluft, mens. Als er een manier was om aan het tijdsveld te ontsnappen, dan had ik die wel gevonden. Volgens mij klets je uit je—'

Gelukkig was dit het moment waarop Root de microfoon van hem overnam. 'Fowl? Commandant Root hier. Wat wil je?'

226

'Ik wil u alleen maar laten weten, commandant, dat ik nog steeds, ondanks uw poging tot verraad, bereid ben tot onderhandelen.'

'Die trol had niets met mij te maken,' protesteerde Root. 'Dat is tegen mijn wens gedaan.'

'Het feit blijft dat het gedaan ís, en nog wel door de elfBI ook. Alle vertrouwen dat we hadden, is weg. Luister, dit is mijn ultimatum. U krijgt een half uur de tijd om het goud hier te brengen, anders zal ik weigeren kapitein Short vrij te laten. Verder zal ik haar niet met me mee nemen als ik het tijdsveld verlaat en laat ik haar dus achter om door de biobom aan flarden geschoten te worden.'

'Doe niet zo stom, mens. Je maakt jezelf maar wat wijs. De Moddertechnologie ligt lichtjaren achter op die van ons. Er bestaat *geen enkele manier* om aan het tijdsveld te ontsnappen.'

Artemis boog zich dichter naar de microfoon toe, en glimlachte wolfachtig. 'Er is maar één manier om daar achter te komen, Root. Bent u bereid om het leven van kapitein Short op uw vermoeden in te zetten?'

Roots aarzeling werd geaccentueerd door het gesis van de storing. Toen zijn antwoord eindelijk kwam, had dat precies het juiste vleugje verslagenheid. 'Nee,' zuchtte hij. 'Dat ben ik niet. Je krijgt je goud, Fowl. Een ton. Vierentwintig karaats.'

Artemis lachte zelfgenoegzaam. Een echte acteur, die commandant Root van ons. 'Een half uur, commandant. Tel de seconden maar als uw klok stilstaat. Ik wacht. Maar niet lang.'

Artemis verbrak de verbinding, en ging achteruitzitten in zijn draaistoel. Het leek erop dat er in het aas werd gehapt. De elfBI-analisten hadden ongetwijfeld de uitnodiging ontdekt die hij per ongeluk had geuit. De elfen zouden betalen omdat ze

dachten dat het goud weer van hen was zodra hij dood was. In rook opgegaan door de biobom. Maar dat zou natuurlijk niet gebeuren. In theorie.

Butler vuurde drie salvo's af in de deurlijst. De deur zelf was van staal en zou de Verwoester-kogels zo weer naar hem hebben teruggeketst. Maar de lijst was van de oorspronkelijke poreuze steen waarmee het hele landhuis was gebouwd. Dat brokkelde als kalk af. Een heel fundamenteel veiligheidsgebrek, en een gebrek dat hersteld moest worden zodra dit gedoe achter de rug was.

Meester Artemis zat rustig in zijn stoel bij de monitortafel te wachten.

'Goed gedaan, Butler.'

'Bedankt, Artemis. We zaten even in de problemen. Als de kapitein niet...'

Artemis knikte. 'Ja. Ik heb het gezien. Genezen, een van de elfenkunsten. Ik vraag me af waarom ze dat heeft gedaan.'

'Dat vraag ik me ook af,' zei Butler zacht. 'We verdienden het in ieder geval niet.'

Artemis keek fel op. 'Houd moed, vriend. Het einde is in zicht.'

Butler knikte, en hij probeerde zelfs even te glimlachen. Maar hoewel er genoeg tanden in zijn grijns te zien waren, zat er geen gevoel bij.

'Binnen een uur is kapitein Short terug bij haar volk en hebben wij genoeg middelen om een aantal wat smaakvoller ondernemingen op touw te zetten.'

'Ik weet het. Alleen...'

Artemis hoefde er niet naar te vragen. Hij wist precies wat

Butler voelde. De elf had hun leven gered en toch stond hij erop haar voor losgeld vast te houden. Voor een man van eer als Butler was dat bijna meer dan hij kon verdragen.

'De onderhandelingen zijn achter de rug. Ze gaat hoe dan ook terug naar haar soort. Kapitein Short zal geen haar gekrenkt worden. Daar geef ik je mijn woord voor.'

'En Juliet?'

'Ja?'

'Loopt mijn zus nog gevaar?'

'Nee. Geen gevaar.'

'De elfen geven ons gewoon hun goud en gaan dan weer weg?'

Artemis snoof zachtjes. 'Nee, niet helemaal. Zodra kapitein Short vrij is gaan ze Huize Fowl biobombarderen.'

Butler haalde adem om iets te gaan zeggen, maar hij aarzelde. Er zat duidelijk meer achter. Meester Fowl zou het hem wel vertellen wanneer hij het moest weten. Dus in plaats van zijn werkgever te ondervragen, deed hij een eenvoudige uitspraak.

'Ik vertrouw je, Artemis.'

'Ja,' antwoordde de jongen, terwijl het gewicht van dat vertrouwen op zijn voorhoofd geschreven stond. 'Dat weet ik.'

Knuppel deed wat politici het beste kunnen: verant-woordelijkheid proberen te ontduiken. 'Uw officier heeft de mensen geholpen,' barstte hij uit, daarbij zo veel mogelijk verontwaardiging aan de dag leggend. 'De hele operatie verliep precies zoals gepland, tot jullie vrouw onze afgevaardigde aanviel.'

'Afgevaardigde?' gnuifde Foaly. 'Nu is de trol opeens een afgevaardigde.'

'Ja. Dat is hij. En die mens heeft gehakt van hem gemaakt. Deze hele situatie zou afgehandeld kunnen zijn, als uw afdeling niet zo incompetent was geweest.'

Normaal gesproken zou Root op dit punt in woede zijn uitgebarsten, maar hij wist dat Knuppel zich aan een strohalm probeerde vast te grijpen en wanhopig zijn best deed zijn carrière te redden. En dus glimlachte de commandant alleen maar. 'Hé, Foaly?'

'Ja, commandant?'

'Hebben we de aanval van de trol op diskette?'

De centaur slaakte een dramatische zucht. 'Nee, meneer, net toen de trol naar binnen ging, waren de diskettes op.'

'Wat jammer.'

'Ja, echt zonde.'

'Die diskettes hadden nog van onschatbare waarde kunnen zijn voor Uitvoerend Commandant Knuppel bij zijn verhoor.'

Het was gedaan met Knuppels zelfbeheersing. 'Geef me die diskettes, Julius! Ik weet dat je ze hebt! Dit is dienstweigering!'

'Er is hier maar één iemand schuldig aan tegenwerking, en dat ben jij, Knuppel. Jij gebruikt deze zaak om hogerop te komen.'

Knuppels gezicht verschoot zo van kleur dat die nu op die van Root leek. Hij had geen grip meer op de situatie, en dat wist hij. Zelfs Mokkul Zwets en de andere vleugelelfen liepen van hun leider weg. 'Ik heb hier nog steeds de leiding, Julius, dus geef me die diskettes of ik laat je in hechtenis nemen.'

'O, echt waar? Met wiens leger dan wel?'

Heel even gloeide op Knuppels gezicht zijn oude vertrouwde opgeblazenheid. Maar die ging in rook op toen hij zag dat er nog opvallend weinig officieren achter hem stonden.

'Dat klopt,' hinnikte Foaly zachtjes. 'Je bent geen Uitvoerend Commandant meer. We hebben het net van beneden doorgekregen. Je moet bij de Raad komen, en ik denk niet dat het is omdat ze je een zetel willen aanbieden.'

Het kwam waarschijnlijk door Foaly's grijns dat Knuppel door het lint ging.

'Geef me die diskettes!' brulde hij, terwijl hij Foaly tegen de controleshuttle duwde.

Root kwam in de verleiding ze een tijdje te laten worstelen, maar dit was niet het moment om aan zijn zwaktes toe te geven.

'Stoute jongen,' zei hij, terwijl hij met zijn wijsvinger naar Knuppel wees. 'Niemand mag Foaly slaan – alleen ik.'

Foaly trok wit weg. 'Voorzichtig met die vinger. Je draagt nog steeds de—'

Roots duim ging *per ongeluk* langs zijn knokkel, waardoor een piepklein gasventiel opening. Het vrijgekomen gas schoot een verdovend pijltje door de rubberen vingertop heen, zo Knuppels hals in. De Uitvoerend Commandant, die binnenkort soldaat zou worden, viel als een baksteen neer.

Foaly wreef zijn hals. 'Mooi schot, commandant.'

'Ik weet niet waar je het over hebt. Dat was een ongelukje. Ik was die nepvinger helemaal vergeten. Ik geloof dat dit al eerder gebeurd is.'

'O, zonder meer. Jammer genoeg zal Knuppel een paar uur bewusteloos zijn. Tegen de tijd dat hij wakker wordt, is alle opwinding voorbij.'

'Jammer.' Root gunde zichzelf een vluchtige grijns, en ging toen meteen weer over tot de orde van de dag. 'Is het goud er?'

'Ja, ze hebben het net aangeleverd.'

'Mooi.' Hij riep Knuppels schaapachtige manschappen. 'Laad

het op een zweefkarretje en stuur het naar binnen. Wie moeilijk doet, kan zijn vleugels opvreten. Begrepen?'

Hoewel niemand antwoord gaf, was de boodschap begrepen. Zo veel was zeker.

'Mooi. Aan de slag dan.'

Root verdween in de controleshuttle, en Foaly klepperde achter hem aan. De commandant deed de deur goed dicht.

'Is hij gewapend?'

De centaur zette een paar belangrijk uitziende knoppen op het grote bedieningspaneel om.

'Nu wel.'

'Ik wil dat hij zo snel mogelijk wordt gelanceerd.' Hij keek door het laserproof, vuurvaste glas. 'Het is nog een kwestie van minuten hier. Ik zie het zonlicht al doorkomen.'

Foaly boog zich ernstig over zijn toetsenbord. 'De toverkracht is tanende. Over een kwartier zitten we midden in de bovengrondse dag. De neutrinostromen zijn hun samenhang aan het verliezen.'

'Ik begrijp het,' zei Root, wat eigenlijk weer gelogen was. 'Oké, ik begrijp het niet. Maar dat van dat kwartier begrijp ik wel. Dat betekent dat je nog tien minuten hebt om kapitein Short eruit te halen. Daarna zijn we voor het hele mensenras een weerloos doelwit.'

Foaly activeerde nog een camera. Deze was verbonden met de zweefkar. Hij ging met een vinger bij wijze van experiment over een besturingspaneel. De kar schoot naar voren, en onthoofde Mokkul Zwets daarmee bijna.

'Dat rijdt lekker,' mompelde Root. 'Kan hij de trap op?'

Foaly keek niet eens op van zijn computer. 'Automatische

ontruimingscompensator. Een sluiting van anderhalve meter. Geen punt.'

Root keek hem met een doorborende boze blik aan. 'Dat doe je alleen maar om mij dwars te zitten, hè?'

Foaly haalde zijn schouders op. 'Zou kunnen.'

'Ja, nou, prijs jezelf gelukkig dat mijn andere vingers niet geladen zijn. Is dat duidelijk?'

'Ja meneer.'

'Mooi. Dan gaan we nu kapitein Short eruit halen.'

Holly zweefde onder het portaal. Oranje lichtflarden gingen in strepen door het blauw. De tijdsstop liep ten einde. Nog maar een paar minuten en dan zou Root het hele spul blauwspoelen. Foaly's stem bromde in haar oortje. 'Oké, kapitein Short. Het goud is onderweg. Maak je klaar voor vertrek.'

'Wij onderhandelen toch niet met kidnappers?' zei Holly verbaasd. 'Wat is er aan de hand?'

'Niets,' antwoordde Foaly nonchalant. 'Een gewone ruil. Het goud gaat naar binnen, jij komt naar buiten. We schieten het projectiel af. Grote blauwe knal, en dan is het allemaal voorbij.'

'Weet Fowl over die biobom?'

'Ja. Hij weet ervan. Hij beweert dat hij aan het tijdsveld kan ontsnappen.'

'Dat is onmogelijk.'

'Klopt.'

'Maar dan gaan ze allemaal dood!'

'Nou en?' wierp Foaly tegen, en Holly kon zich al helemaal voorstellen hoe hij zijn schouders daarbij zou ophalen. 'Dat krijg je als je je met het Volk gaat bemoeien.'

Holly voelde zich verscheurd. Het stond buiten kijf dat Fowl

233

een gevaar voor de beschaafde onderwereld was. Er zouden maar weinig tranen boven zijn dode lichaam worden gelaten. Maar het meisje, Juliet – die was onschuldig. Zij verdiende nog een kans.

Holly daalde af naar een hoogte van twee meter. Hoofdhoogte voor Butler. De mensen waren bij elkaar gekomen in de puinzooi die vroeger de hal was. Ze hadden onenigheid. Dat voelde de elfʙɪ-officier.

Holly keek beschuldigend naar Artemis. 'Heb je het tegen ze gezegd?'

Artemis keek terug. 'Heb ik wat tegen ze gezegd?'

'Ja, elf, wat moet hij ons gezegd hebben?' echode Juliet strijdlustig, nog steeds een beetje beledigd over het mesmeriseren.

'Hou je maar niet van de domme, Fowl. Je weet best waar ik het over heb.'

Artemis kon zich nooit erg lang van de domme houden. 'Ja, kapitein Short. Dat weet ik. De biobom. Je bezorgdheid zou roerend zijn geweest als die ook op mij van toepassing was geweest. Maar maak je vooral niet druk. Alles verloopt volgens plan.'

'Volgens plan!' riep Holly naar adem happend uit, terwijl ze naar de verwoestingen om hen heen wees. 'Was dit dan allemaal onderdeel van het plan? En dat Butler bijna gedood is? Allemaal volgens plan?'

'Nee,' gaf Artemis toe. 'De trol was een kleine stoorzender. Maar niet relevant voor het algehele plan.'

Holly verzette zich tegen de aandrang om de bleke mens weer een stomp te geven, en wendde zich in plaats daarvan maar tot Butler.

234

'Wees nou in 's hemelsnaam toch eens redelijk! Jullie kunnen niet aan het tijdsveld ontsnappen. Dat is nog nooit iemand gelukt!'

Butlers gezicht had wel uit steen gehouwen kunnen zijn. 'Als Artemis zegt dat het kan, dan kan het.'

'Maar je zus dan. Ben je bereid haar leven op het spel te zetten uit loyaliteit aan een crimineel?'

'Artemis is geen crimineel, juffrouw. Artemis is een genie. En wilt u dan nu alstublieft uit mijn gezichtsveld gaan. Ik hou de hoofdingang in de gaten.'

Holly zoemde omhoog naar zes meter. 'Jullie zijn gek! Allemaal! Over vijf minuten zijn jullie allemaal tot stof vergaan. Beseffen jullie dat dan niet?'

Artemis zuchtte. 'We hebben je al antwoord gegeven, kapitein. Alsjeblieft. Dit is een precair moment in het proces.'

'Proces? Dit is een kidnapping! Heb dan in ieder geval het lef om de dingen bij hun naam te noemen.'

Artemis' geduld begon op te raken. 'Butler, hebben we nog kalmerende injecties over?'

De reusachtige bediende knikte, maar zei niets. Als hij precies op dat moment het bevel had gekregen haar onder zeil te brengen, wist hij niet zeker of hij dat zou of kon doen. Gelukkig werd Artemis' aandacht afgeleid door beweging op de oprijlaan. 'Ah, het ziet ernaar uit dat de elfʙɪ zich overgeeft. Butler, controleer de zending. Maar blijf op je hoede. Onze elfenvrienden halen hun neus niet op voor beduvelarij.'

'Moet je horen wie het zegt,' mompelde Holly.

Butler liep snel naar de verwoeste deuropening, en controleerde het magazijn van zijn Sig Sauer. Hij was bijna dankbaar dat er wat militaire activiteit was, want die leidde hem

af van zijn dilemma. In situaties als deze kreeg zijn opleiding de overhand. Er was geen ruimte voor gevoelens.

In de lucht hing nog steeds een fijne stofnevel. Butler tuurde erdoorheen, naar de oprijlaan die daarachter lag. De elfenfilters die voor zijn ogen zaten, gaven aan dat er geen warme lichamen naderden. Er was echter wel een grote kar die zo te zien uit zichzelf naar de voordeur reed. Hij dreef op een kussen van glinsterende lucht. Meester Artemis zou ongetwijfeld de werking van deze machine hebben begrepen, maar Butler interesseerde zich er alleen voor of hij hem buiten bedrijf kon stellen of niet.

De kar bonkte tegen de eerste tree op.

'Automatische compensator, ammehoela,' snoof Root.

'Ja, ja, ja,' antwoordde Foaly. 'Ik ben ermee bezig.

'Het is het losgeld!' riep Butler.

Artemis probeerde de opwinding die in zijn borst omhoogkwam te dempen. Dit was niet het moment om emoties de overhand te laten krijgen. 'Kijk of er boobytraps in zitten.'

Butler stapte voorzichtig het portaal in. Onder zijn voeten knerpte het van de scherven van kapotgeslagen gargouilles.

'Geen vijandigheden. Schijnt zelf-aangedreven te zijn.'

De kar rolde over de trap.

'Ik weet niet wie dit ding bestuurt, maar diegene mag nog wel een paar lessen nemen.'

Butler boog zich dicht naar de grond en bestudeerde de onderkant van de kar.

'Geen explosief materiaal zichtbaar.' Hij haalde een sonde uit zijn zak en schoof de telescopische antenne uit. 'En ook geen

afluisterapparatuur. Niet waarneembaar in elk geval. Maar wat hebben we hier?'

'O, o,' zei Foaly.

'Het is een camera.'
Butler stak zijn hand uit en trok de vissenoogcamera er aan de kabel uit.
'Welterusten, heren.'
Ondanks de lading reageerde de kar soepeltjes op Butlers aanraking en gleed over de drempel de hal in. Daar stond hij zachtjes te zoemen, alsof hij wachtte tot hij gelost zou worden.
Nu het moment dan eindelijk daar was, was Artemis bijna bang het aan te grijpen. Het was moeilijk te geloven dat zijn slechte plannetje na al die maanden maar een paar minuten van zijn verwezenlijking verwijderd was. Natuurlijk waren die laatste minuten de belangrijkste... en de gevaarlijkste.
'Maak open,' zei hij eindelijk, verbaasd over de trilling in zijn eigen stem.
Het was een onweerstaanbaar moment. Juliet kwam aarzelend naderbij, met wijd opengesperde ogen. Zelfs Holly nam een puntje gas terug en daalde neer tot haar voeten net tegen de marmeren tegels kwamen. Butler ritste het zwarte zeildoek open, en sloeg dat terug over de lading.
Niemand zei een woord. Artemis stelde zich voor dat ergens de *Ouverture 1812* gespeeld werd. Het goud lag op de kar, opgestapeld in glanzende rijen. Het leek een aura, warmte te hebben, maar ook een duidelijk gevaar. Heel veel mensen waren bereid te sterven of te doden voor de onvoorstelbare

rijkdom die dit goud je kon brengen.

Holly was gehypnotiseerd. Elfen hebben een voorliefde voor mineralen, aangezien ze van de aarde zijn. Maar goud was wel hun favoriet. De glans. De allure.

'Ze hebben betaald,' fluisterde ze. 'Niet te geloven.'

Butler pakte een staaf van de stapel. Hij stak de punt van een werpmes in de baar en gutste er een klein flintertje uit. 'Het is echt,' zei hij, terwijl hij het schraapsel tegen het licht hield. 'Deze in ieder geval wel.'

'Goed zo. Heel goed. Begin maar te lossen, ja? We sturen de kar samen met kapitein Short weer naar buiten.'

Toen Holly haar naam hoorde, was haar goudkoorts meteen verdwenen. 'Artemis, geef het toch op. Er is nog nooit een mens geweest die het elfengoud heeft weten te behouden. En ze proberen het al eeuwenlang. De elfBI zal alles doen om zijn bezit te beschermen.'

Artemis schudde geamuseerd zijn hoofd. 'Ik heb je toch al gezegd—'

Holly pakte hem bij de schouders. 'Je kunt niet ontsnappen! Begrijp je dat dan niet?'

De jongen keek haar koeltjes aan. 'Ik kan wel ontsnappen, Holly. Kijk me in mijn ogen en zeg me dat ik het niet kan.'

En dat deed ze. Kapitein Holly Short staarde in de blauwzwarte ogen van haar overweldiger en zag daarin de waarheid. En heel even geloofde ze die ook.

'Er is nog tijd,' zei ze wanhopig. 'Er moet íets zijn wat ik kan doen. Ik heb toverkracht.'

Het voorhoofd van de jongen trok in een geïrriteerde rimpel. 'Het spijt me dat ik je moet teleurstellen, kapitein, maar er is absoluut niets wat je kunt doen.'

Artemis wachtte even, want zijn blik werd naar boven getrokken, naar de verbouwde zolderkamer. Misschien, dacht hij. Heb ik al dit goud echt nodig? En knaagde zijn geweten niet als een bloedzuiger aan zijn zoete overwinning? Hij riep zichzelf tot de orde. Je aan het plan houden. Je aan het plan houden. Geen emoties.

Artemis voelde een bekende hand op zijn schouder.

'Is alles in orde?'

'Ja, Butler. Blijf lossen. Laat Juliet helpen. Ik moet met kapitein Short praten.'

'Weet je zeker dat alles in orde is?'

Artemis zuchtte. 'Nee, goede vriend, dat weet ik niet zeker. Maar het is nu te laat.'

Butler knikte en ging weer aan zijn werk. Juliet drentelde als een terriër achter hem aan.

'Goed, kapitein. Nu eens even over die toverkracht van je.'

'Wat is daar dan mee?' Holly's ogen werden overschaduwd door argwaan.

'Wat zou ik moeten doen als ik een wens wil kopen?'

Holly keek naar de kar. 'Nou, dat hangt ervan af. Wat heb je in de aanbieding?'


Root was nou niet wat je noemt ontspannen. Er kwamen steeds breder wordende stroken geel licht door het blauw heen. Nog maar een paar minuten. Minuten. Zijn migraine werd er niet beter op door de stinkende sigaar die zijn systeem volpompte met giftige stoffen.

'Is al het niet-onmisbare personeel geëvacueerd?'

'Ja, tenzij ze weer naar binnen geslopen zijn sinds de vorige keer dat u me dat vroeg.'

'Niet nu, Foaly. Geloof me, dit is niet het moment. Nog iets van kapitein Short?'

'Niets. Na dat gedoe met die trol zijn we het videocontact met haar kwijt. Ik neem aan dat de batterij kapot is. We kunnen die helm beter maar zsm van haar hoofd halen, anders worden haar hersenen door de straling gebraden. Dat zou jammer zijn na al dat werk.'

Foaly ging terug naar zijn bedieningspaneel. Een rood lichtje begon zachtjes te flikkeren. 'Wacht, de bewegingsensor. Er is activiteit bij de hoofdingang.'

Root liep naar de schermen. 'Kun je dat uitvergroten?'

'Geen punt.' Foaly tikte de juiste combinatie in en blies het beeld met vierhonderd procent op.

Root ging op de dichtstbijzijnde stoel zitten. 'Zie ik wat ik denk te zien?'

'Reken maar,' grinnikte Foaly. 'Dit is nog beter dan de maliënkolder.'

Holly kwam naar buiten. Met het goud.

Beveiliging was binnen een halve seconde bij haar. 'Gauw uit de gevarenzone, kapitein,' zei een vleugelelf dringend, terwijl hij Holly bij haar elleboog pakte.

Een andere vleugelelf ging met een stralingssensor over haar helm. 'Hier zit een breuk in de krachtbron, kapitein. We moeten onmiddellijk uw hoofd spuiten.'

Holly deed haar mond open om te protesteren, en kreeg daar meteen een dot stralingsonderdrukkend schuim in. 'Kan dit niet even wachten?' proestte ze.

'Het spijt me, kapitein. Elke minuut telt. De commandant wil een debriefing voor we de bom tot ontploffing brengen.'

Holly werd snel naar de Mobiele controle-eenheid gebracht, waarbij haar voeten de grond nauwelijks raakten. Overal om haar heen waren schoonmakers van Beveiliging het terrein aan het scannen op zoek naar sporen van de belegering. Techneuten ontmantelden de veldschotels, en maakten alles klaar om de stekker eruit te kunnen trekken. Gemopper begeleidde de kar naar de toegangspoort. Het was een vereiste dat alles op veilige afstand gebracht was voor de biobom werd afgevuurd.

Root stond op de trap op haar te wachten. 'Holly,' flapte hij eruit. 'Ik bedoel, kapitein. Je hebt het gehaald.'

'Ja, meneer. Dank u wel, meneer.'

'En het goud ook. Dit is een echte veer op je hoed.'

'Nou, niet alles, commandant. Ongeveer de helft, denk ik.'

Root knikte. 'Maakt niet uit. De rest krijgen we snel genoeg terug.'

Holly veegde stralingsschuim van haar voorhoofd. 'Daar heb ik over zitten denken, meneer. Fowl heeft een vergissing begaan. Hij heeft me nooit het bevel gegeven dat ik het huis niet nóg een keer mag binnengaan, en aangezien hij me er de eerste keer zelf binnen heeft gebracht, geldt de uitnodiging nog. Ik zou naar binnen kunnen gaan en de geheugens van de bewoners kunnen wissen. We zouden het goud in de muren kunnen verbergen en morgenavond nog een tijdsstop kunnen doen—'

'Nee, kapitein.'

'Maar, meneer—'

Roots gezicht hervond de spanning die hij kwijt was geweest. 'Nee, kapitein. De Raad is niet van plan zich passief op te stellen tegenover een of andere kidnappende Modderman. Dat zal gewoonweg niet gebeuren. Ik heb mijn orders, en

241

die zijn onwrikbaar, neem dat van mij aan.'

Holly trok Root mee de mobiele controle-eenheid in. 'Maar het meisje, meneer. Dat is onschuldig!'

'Oorlogsslachtoffer. Ze heeft op het verkeerde paard gewed. We kunnen niets meer voor haar doen.'

Holly kon haar oren niet geloven. 'Een oorlogsslachtoffer? Hoe kunt u dat nou zeggen? Een leven is een leven.'

Root draaide zich abrupt om en greep haar bij de schouders. 'Je hebt gedaan wat je kon, Holly,' zei hij. 'Niemand had meer kunnen doen. Je hebt zelfs het grootste gedeelte van het losgeld mee terug weten te brengen. Je lijdt aan wat mensen het Stockholm Syndroom noemen: je voelt je verbonden met je gijzelnemers. Maak je geen zorgen, dat gaat wel over. Maar die mensen daarbinnen, die weten alles. Over ons. Niets kan hen nu nog redden.'

Foaly keek op van zijn berekeningen. 'Dat is niet waar. Technisch gezien. Welkom terug, trouwens.'

Holly nam niet eens een seconde om terug te groeten. 'Wat bedoel je: dat is niet waar?'

'Met mij gaat het goed, dank je.'

'Foaly!' riepen Root en Holly in koor.

'Nou, zoals het Boek ook zegt: "Wint Modderman goud op eigen kracht, Ondanks magie en elfenpracht, Dan is het goud ook echt het zijne, Tot hij in eeuwige slaap verdwijne." Dus als hij leeft, dan wint hij. Zo eenvoudig ligt het. Zelfs de Raad zal niet tegen het Boek ingaan.'

Root krabde zijn kin. 'Moet ik me zorgen maken?'

Foaly lachte vreugdeloos. 'Nee. Die mensen zijn zo goed als dood.'

'Zo goed als is niet goed genoeg.'

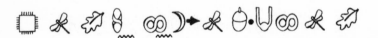

242

'Is dat een bevel?'

'Correct, soldaat.

'Ik ben geen soldaat,' zei Foaly, en hij drukte op de knop.


Butler was verrast, en niet zo'n beetje ook. 'Heb je het teruggegeven?'

Artemis knikte. 'Ongeveer de helft. We hebben nog steeds een behoorlijk appeltje voor de dorst. Ongeveer vijftien miljoen dollar tegen de huidige marktwaarde.'

Normaal gesproken zou Butler het niet vragen, maar dit keer moest hij wel. 'Waarom, Artemis? Kun je me dat vertellen?

'Natuurlijk.' De jongen glimlachte. 'Ik vond dat we de kapitein iets verplicht waren. Voor bewezen diensten.'

'Is dat alles?'

Artemis knikte. Hij had geen behoefte over de wens te spreken. Dat zou maar als zwakte opgevat kunnen worden.

'Hm,' zei Butler, slimmer dan hij eruitzag.

'Nou, dat moeten we vieren,' zei Artemis enthousiast, handig van onderwerp veranderend. 'Champagne, lijkt me.'

De jongen liep snel naar de keuken voor Butler hem met zijn blik kon ontleden.

Tegen de tijd dat de anderen er ook waren, had Artemis al drie glazen Dom Perignon ingeschonken.

'Ik ben minderjarig, ik weet het, maar ik weet zeker dat moeder het niet erg zou vinden. Voor deze ene keer.'

Butler voelde dat er iets aan zat te komen. Toch pakte hij de kristallen flute aan die hem aangereikt werd.

Juliet keek naar haar grote broer. 'Is dit in orde?'

'Ik neem aan van wel.' Hij haalde adem. 'Je weet toch dat ik van je hou, hè, zusje?'

Juliet fronste haar voorhoofd – weer zoiets dat de plaatselijke boerenkinkels erg vertederend vonden. Ze gaf haar broer een klap op zijn schouder. 'Wat ben je toch sentimenteel voor een bodyguard.'

Butler keek zijn werkgever recht aan. 'Je wilt dat we dit opdrinken, hè, Artemis?'

Artemis keek zonder te knipperen terug. 'Ja, Butler. Dat wil ik.'

Zonder nog een woord te zeggen dronk Butler zijn glas leeg. Juliet volgde zijn voorbeeld. De bediende proefde het verdovende middel onmiddellijk, en hoewel hij alle tijd had gehad om de nek van Artemis Fowl te breken, deed hij dat niet. Het was niet nodig Juliet in haar laatste ogenblikken bang te maken.

Artemis keek hoe zijn vrienden op de grond zakten. Jammer dat hij ze om de tuin had moeten leiden. Maar als ze van het plan hadden geweten, zou hun angst het kalmerende middel hebben kunnen tegenwerken. Hij tuurde naar de belletjes die in zijn eigen glas rondkolkten. Het was tijd voor de meest gewaagde stap in zijn plan. Met slechts een heel flauw zweempje aarzeling slikte hij de met verdovingsmiddel vermengde champagne door.

Artemis wachtte rustig tot het middel zou gaan werken. Hij hoefde niet lang te wachten, want elke dosis was aan de hand van het lichaamsgewicht berekend. Terwijl zijn gedachten begonnen te tollen, kwam het in hem op dat hij misschien wel nooit meer wakker zou worden. Het is een beetje laat voor twijfels, sprak hij zichzelf vermanend toe, en toen zakte hij weg in bewusteloosheid.

'Ze is weg,' zei Foaly, terwijl hij van het bedieningspaneel achteruit leunde. 'Ik heb er nu geen grip meer op.'

Door gepolariseerde ramen volgden ze de voortgang van het projectiel. Het was echt een fantastisch apparaat. Omdat het grote wapen licht was, kon de radioactieve neerslag met een exacte radius gericht worden. Het radioactieve element dat in de kern gebruikt was, was solinium 2, dat een half-leven van veertien seconden had. Dit betekende in de praktijk dat Foaly de biobom zo kon afstellen dat hij alleen Huize Fowl blauwspoelde, en geen grassprietje meer, plus dat het gebouw binnen een minuut weer stralingsvrij zou zijn. In het geval dat een paar solinium-vlammen zich niet goed lieten richten, zouden ze door het tijdsveld tegengehouden worden. Zo werd moorden wel heel gemakkelijk gemaakt.

'De vliegroute is voorgeprogrammeerd,' legde Foaly uit, hoewel niemand ook maar enige aandacht aan hem besteedde. 'Ze zal de hal binnenzeilen en dan ontploffen. Het omhulsel en het ontstekingsmechanisme zijn van een plasticmengsel en zullen volledig uit elkaar vallen. Zo schoon als wat.'

Root en Holly volgden de boog van de bom. Zoals voorspeld dook hij door de vernietigde deuropening, zonder ook maar een scherfje steen van de middeleeuwse muren te slaan. Holly richtte haar aandacht nu op de neuscamera van het projectiel. Ze ving heel even een glimp op van de statige hal waar ze tot voor kort gevangene was geweest. Die was leeg. Geen mens te bekennen. Misschien, dacht ze. Heel misschien. Toen keek ze naar Foaly en naar de technische snufjes onder zijn vingertoppen. En ze realiseerde zich dat de mensen zo goed als dood waren.

De biobom ontplofte. Een blauwe schijf van geconcentreerd

licht knisperde en verspreidde zich, tot hij elke hoek van het landhuis met zijn dodelijke stralen vulde. Bloemen verwelkten, insecten verschrompelden en vissen stierven in hun kom. Geen enkele kubieke millimeter werd gespaard. Artemis Fowl en zijn trawanten hadden niet kunnen ontsnappen. Dat was onmogelijk.

Holly zuchtte en wendde zich af van de nu al in kracht afnemende blauwspoeling. Ondanks al zijn grootse plannen was Artemis toen puntje bij paaltje kwam toch een gewone sterveling gebleken. En om de een of andere reden betreurde ze zijn overlijden.

Root was doortastender. 'Oké. Pak aan. Volledig stralings-veilige uitrusting.'

'Het is volkomen veilig,' zei Foaly. 'Heb je op school dan nooit opgelet?'

De commandant maakte een snuivend geluid. 'Mijn ver-trouwen in de wetenschap gaat net zover als ik jou kan gooien, Foaly. Straling heeft er een handje van om precies daar te blijven hangen waar bepaalde *wetenschappers* ons hebben verzekerd dat hij is weggetrokken. Niemand zet een stap buiten de eenheid zonder zijn stralingspak. Dat geldt dus niet voor jou, Foaly. Er zijn alleen tweevoetige pakken. Ik wil jou trouwens toch bij de monitoren hebben, voor het geval dat—'

Voor het geval dat wat? vroeg Foaly zich af, maar hij hield het voor zich. Dan kon hij later nog een keer *ik heb je toch gezegd* laten vallen.

Root draaide zich om naar Holly. 'Ben je klaar, kapitein?'

Weer naar binnen gaan? Het idee dat ze drie kadavers moest identificeren stond Holly helemaal niet aan, maar ze wist dat het haar plicht was. Ze was de enige die het huis vanbinnen uit de eerste hand kende.

'Ja meneer. Ik ben al weg.'

Holly koos een verduisteringspak uit het rek en trok het over haar overall aan. Zoals het haar geleerd was, controleerde ze de dikte voor ze de gegalvaniseerde kap opzette. Een verlaging van de druk kon op een scheur duiden, en die kon op de lange duur fataal blijken.

Root stelde het invalteam aan de rand van het gebied op. De overgebleven leden van Beveiling I liepen ongeveer net zo warm voor de inval in het landhuis als wanneer ze met Atlanteaanse stinkballonnen zouden moeten jongleren.

'Weet u zeker dat die grote dood is?'

'Ja, kapitein Kelp. Hij is dood, hoe dan ook.'

Trubbels was nog niet overtuigd. 'Wat was dat een ongelooflijk gemeen creatuur. Volgens mij heeft die zo z'n eigen toverkracht.'

Korporaal Wurm giechelde, en kreeg daar onmiddellijk een oorvijg voor. Hij mompelde nog iets over dat hij het tegen mama ging zeggen, en bond toen snel zijn helm vast.

Root voelde dat hij rood aanliep. 'Vooruit, we gaan. Jullie opdracht luidt: het goud zien te vinden en terugbrengen. Kijk uit voor boobytraps. Ik vertrouwde die Fowl niet toen hij nog leefde, en ik vertrouw hem al helemaal niet nu hij dood is.'

Het woord *boobytraps* kreeg ieders aandacht. Het idee van een Stuiterende Stefanie-mijn die op hoofdhoogte explodeerde, was genoeg om alle nonchalance bij de manschappen te doen verdwijnen. Niemand bouwde zulke wrede wapens als de Moddermannen.

Holly ging, als jongste Opsporings-officier, op kop. En

hoewel er geen vijanden meer in het landhuis zouden moeten zijn, merkte ze dat haar wapenhand automatisch naar de Neutrino 2000 afdwaalde.

Het huis was griezelig stil, met alleen het gesis van de laatste paar solinium-vlammen om die stilte te verlichten. De dood was er ook, in de stilte. Het landhuis was een bakermat des doods. Holly kon het ruiken. Achter die middeleeuwse muren lagen de lichamen van een miljoen insecten, en onder de vloeren lagen de afkoelende lijken van spinnen en muizen.

Ze liepen behoedzaam op de deuropening af. Holly liet een röntgenscanner over het gebied gaan. Onder de vloerstenen lag niets, alleen aarde, en een nest dode geluksspinnetjes.

'De kust is veilig,' zei ze in haar microfoon. 'Ik ga naar binnen. Foaly, heb je je oortjes in?'

'Ik ben er, schat, ik ben bij je,' antwoordde de centaur. 'Tenzij je natuurlijk op een landmijn stapt, want dan zit ik weer in de controlekamer.'

'Krijg je warmtegebieden door?'

'Niet na een blauwspoeling. We hebben overal kenmerken van restwarmte. Voornamelijk solinium-vlammen. Die trekken pas over een paar dagen weg.'

'Maar geen straling, toch?'

'Dat klopt.'

Root snoof ongelovig. In de koptelefoons klonk dit als een niezende olifant. 'Het ziet ernaar uit dat we dit huis op de ouderwetse manier zullen moeten doorzoeken,' mopperde hij.

'Doe het dan snel,' raadde Foaly hem aan. 'Ik geef je maximaal vijf minuten voor Huize Fowl ter aarde stort.'

Holly liep door wat vroeger de deuropening was geweest. Door de dreunende kracht van de ontploffing zwaaide de kroonluchter nog zachtjes heen en weer, maar verder was alles zoals ze het zich herinnerde.

'Het goud is beneden. In mijn cel.'

Niemand gaf antwoord. Niet met woorden tenminste. Iemand slaagde er wel in te kokhalzen. Recht in de microfoon. Holly draaide zich om. Trubbels lag dubbelgeslagen en greep zijn buik vast.

'Ik voel me niet lekker,' kreunde hij. Dat was enigszins overbodig, gezien de plas kots die over zijn laarzen lag.

Korporaal Wurm haalde adem, misschien om een zin uit te spreken met daarin het woord 'mama'. Wat er echter uit kwam, was een straal geconcentreerde gal. Jammer genoeg had Wurm niet de gelegenheid gehad zijn vizier open te zetten voor de misselijkheid toesloeg. Dat was geen fijne aanblik.

'Ugh,' zei Holly, terwijl ze op de open-knop voor het vizier van de korporaal drukte. Een tsunami aan omhooggekomen rantsoenen stroomde over Wurms stralingspak.

'O, jezus,' mompelde Root, terwijl hij zich met zijn ellebogen langs de broers werkte. Hij kwam niet erg ver. Eén stap over de drempel en ook hij stond te kotsen, net als de rest.

Holly richtte haar helmcamera op de zieke officieren. 'Wat is hier in godsnaam aan de hand, Foaly?'

'Ik ben aan het zoeken. Wacht even.'

Holly kon horen hoe er woest op computertoetsen werd geslagen.

'Oké. Acuut braken. Ruimteziekte... O nee.'

'Wat?' vroeg Holly. Maar ze wist het al. Misschien had ze het aldoor al geweten.

'Het komt door de toverkracht,' barstte Foaly los, maar de woorden waren door zijn opwinding nauwelijks te ontcijferen.

'Ze kunnen het huis niet binnengaan tot Fowl dood is. Het is een soort extreme allergische reactie. Dat betekent, geloof het of niet, dat betekent...'

'Dat ze het hebben gered,' maakte Holly zijn zin af. 'Hij leeft. Artemis Fowl leeft.'

'D'Arvit,' kreunde Root, en hij kwakte nog een portie kots op de terracotta tegels.

Holly ging alleen verder. Ze wilde het met eigen ogen zien. Als Fowl's lichaam hier was, zou dat bij het goud zijn, daar was ze van overtuigd.

Dezelfde familieportretten blikten boos naar haar omlaag, maar nu leken ze eerder zelfvoldaan dan streng. Holly was in de verleiding om een paar vlammen uit de Neutrino 2000 op ze af te vuren. Maar dat was tegen de regels. Als Artemis Fowl hen had verslagen, dan moest dat maar. Er zouden geen vergeldingsmaatregelen volgen.

Ze liep de trap af naar haar cel. De deur zwaaide ook nog een beetje heen en weer van de schok van de biobom. Een solinium-vlam schoot de kamer rond als een gevangen blauwe bliksemschicht. Holly ging naar binnen, toch een beetje bang voor wat ze daar te zien zou krijgen, of juist niet.

Er was niets. Niets doods in elk geval. Alleen goud. Om en nabij tweehonderd baren. Opgestapeld op het matras van haar bed. Keurig nette militaire rijen. Die goeie ouwe Butler, de enige mens die het ooit tegen een trol had opgenomen en won.

'Commandant? Hoort u mij? Over.'

'Ik hoor je, kapitein. Aantal doden?'

'Geen doden, meneer. Ik heb de rest van het losgeld gevonden.'

Er volgde een lange stilte.

'Blijf eraf, Holly. Je kent de regels. We trekken ons terug.'

'Maar, meneer. Er moet toch een manier zijn...'

Foaly mengde zich in het gesprek. 'Geen gemaar, kapitein. Ik tel hier de seconden af tot het daglicht aanbreekt, en ik voorzie problemen als we om twaalf uur 's middags moeten vertrekken.'

Holly zuchtte. Hij had gelijk. Het Volk kon zijn vertrektijd kiezen, zolang ze maar weggingen voor het veld oploste. Het maakte haar alleen razend dat ze door een mens verslagen waren. En ook nog eens een pubermens.

Ze keek nog één keer de cel rond. Hier was een grote bal vol haat geboren, realiseerde ze zich, en daar moest ze toch vroeg of laat een keer mee in het reine zien te komen. Holly duwde haar pistool terug in zijn holster. Liever vroeg dan laat. Fowl was dit keer de winnaar, maar iemand als hij zou niet in staat zijn op zijn lauweren te rusten. Hij zou terugkomen met een ander plannetje om geld te scoren. En als hij kwam, dan zou Holly Short hem staan op te wachten. Met een groot geweer en een glimlach.

Aan de grens van de tijdsstop was de grond zacht. Een half millennium slechte ontwatering uit de middeleeuwse muren had de fundering min of meer in een moeras veranderd. En dat was dus de plek waar Turf aan de oppervlakte kwam.

De zachte grond was niet de enige reden waarom hij precies deze plek had uitgekozen. De andere reden was de geur. Een goede tunneldwerg kan de geur van goud door een halve kilometer granietrots heen ruiken. Turf Graafmans had een van de beste neuzen van zijn branche.

De zweefkar dreef praktisch onbewaakt rond. Twee Beveiligings-agenten stonden naast het teruggekregen losgeld, maar op dit moment waren ze aan het giechelen om hun zieke commandant.

'Die kan 't mooi vergeten, hè, Mokkul?'

Mokkul knikte en deed Roots spuugtechniek na.

Mokkul Zwets' pantomimevertoning zorgde voor de perfecte dekking voor een staaltje jatwerk. Turf blies zijn ingewanden flink schoon, en klauterde toen de tunnel uit. Als hij iets niet kon gebruiken, dan was het een plotselinge gasuitbarsting waardoor de elfʙɪ op zijn aanwezigheid geattendeerd zou worden. Hij had zich geen zorgen hoeven maken. Hij had Mokkul Zwets met een natte stinkworm in het gezicht kunnen slaan, en dan had de vleugelelf er nog niets van gemerkt.

Binnen een paar seconden had hij een stuk of twintig baren naar de tunnel gebracht. Dit was het gemakkelijkste klusje dat hij ooit geklaard had. Turf moest een grinnik onderdrukken toen hij de laatste twee baren in het gat liet zakken. Julius had hem echt een dienst bewezen door hem in deze zaak te betrekken. Het had allemaal niet beter kunnen uitpakken. Hij was zo vrij als een vogeltje, rijk en, het mooiste van alles, ze dachten dat hij dood was. Tegen de tijd dat de elfʙɪ erachter kwam dat het goud was verdwenen, zat Turf Graafmans al een half continent verder. Als ze er al achter kwamen.

De dwerg liet zich in de grond zakken. Hij zou een paar keer heen en weer moeten gaan om zijn gevonden schat weg te brengen, maar dat was het oponthoud wel waard. Met zo veel geld kon hij vervroegd met pensioen. Hij zou natuurlijk helemaal moeten verdwijnen, maar er begon zich al een plannetje in zijn ontspoorde geest te vormen.

Hij zou een poosje boven de grond gaan wonen. Zich vermommen als een menselijke dwerg, met een afkeer van licht.

Misschien kocht hij wel een penthouse met dikke gordijnen. In Manhattan misschien, of in Monte Carlo. Dat leek misschien vreemd, natuurlijk, een mensdwerg die zichzelf van de zon afschermde, maar hij zou wel een obsceen rijke dwerg zijn. En mensen zijn bereid elk verhaal te geloven, hoe buitenissig ook, als er iets voor ze te halen valt. Bij voorkeur iets groens dat je kunt vouwen.

Artemis hoorde een stem die zijn naam riep. Er zat een gezicht achter die stem, maar dat was onscherp, moeilijk te zien. Zijn vader misschien?

'Vader?' Het woord voelde vreemd in zijn mond. Ongebruikt. Roestig. Artemis deed zijn ogen open.

Butler stond over hem heen gebogen. 'Artemis. Je bent wakker.'

'Ah, Butler. Jij bent het.'

Artemis kwam overeind, en zijn hoofd tolde van de inspanning. Hij verwachtte dat Butlers hand hem bij zijn elleboog steun zou bieden. Maar die hand kwam niet. Juliet lag op een ligstoel, kwijlend op de kussens. Het drankje was duidelijk nog niet uitgewerkt.

'Het waren maar slaappillen, Butler. Heel onschuldig.'

De ogen van de bediende glinsterden gevaarlijk. 'Verklaar je nader.'

Artemis wreef in zijn ogen. 'Later, Butler. Ik voel me een beetje...'

Butler versperde hem de weg. 'Artemis, mijn zus ligt gedrogeerd op die bank. Ze heeft bijna het loodje gelegd. Verklaar je nader, zeg ik!'

Artemis realiseerde zich dat hij een bevel had gekregen. Hij overwoog of hij zich beledigd zou voelen, maar besloot toen dat Butler misschien wel gelijk had. Hij was te ver gegaan.

'Ik heb je niet over die slaappillen verteld omdat je je er dan tegen zou verzetten. Dat is niet meer dan natuurlijk. En het was beslist noodzakelijk voor het plan dat we allemaal onmiddellijk in slaap zouden vallen.'

'Het plan?'

Artemis liet zich in een gemakkelijke stoel zakken. 'Het tijdsveld was de sleutel tot deze hele affaire. Dat was de troef die de elfBI achter de hand had. Daardoor zijn ze al die jaren al onverslaanbaar. Elk incident kan beheerst worden. Dat en de biobom vormen een geweldige combinatie.'

'Maar waarom moesten we dan gedrogeerd worden?'

Artemis glimlachte. 'Kijk eens uit het raam. Begrijp je het dan niet? Ze zijn weg. Het is voorbij.'

Butler keek door de vitrage. Het licht was fel en helder. Geen sprankje blauw. Niettemin was de bediende niet onder de indruk. 'Nu zijn ze weg, ja. Maar vanavond zijn ze terug, dat geef ik je op een briefje.'

'Nee. Dat is tegen de regels. We hebben ze verslagen. Het is voorbij.'

Butler trok een wenkbrauw op. 'De slaappillen, Artemis?'

'Ik zie het al, je laat je niet afleiden.'

Butlers antwoord bestond uit een onvermurwbare stilte.

'De slaappillen. Goed dan. Ik moest een manier bedenken om aan het tijdsveld te ontsnappen. Ik heb het Boek doorgewerkt, maar er stond niets in. Geen enkele aanwijzing. Het Volk heeft zelf nog geen manier gevonden. Dus ging ik terug naar hun Oude Testament, toen hun leven en het onze nog met elkaar waren verstrengeld. Je kent de verhalen wel: elfen die 's nachts schoenen repareerden, kabouters die huizen schoonmaakten. De tijd dat we nog tot op zekere hoogte naast elkaar leefden. Magische gunsten in ruil voor hun elfenbolwerken. De grootste was natuurlijk de kerstman.'

Butlers wenkbrauw sprong bijna van zijn gezicht af. 'De kerstman?'

Artemis hief zijn handpalmen. 'Ik weet het, ik weet het. Ik was zelf ook een ietsepietsie sceptisch. Ons gezamenlijk boegbeeld de kerstman stamt niet af van een Turkse heilige, maar is een schim van San D'Klass, de derde koning van de Boomelfen Dynastie. Hij wordt ook wel San de Misleide genoemd.'

'Niet echt een titel om over naar huis te schrijven.'

'Klopt. D'Klass dacht dat de hebzucht van het Moddervolk in zijn koninkrijk geremd kon worden door kwistig met geschenken te strooien. Eén keer per jaar trommelde hij alle tovenaars bij elkaar en die liet hij in uitgestrekte gebieden een grote tijdsstop organiseren. Dan werden hele horden vleugelelfen erop uitgestuurd om de cadeautjes af te leveren, terwijl de mensen sliepen. Dat werkte natuurlijk niet. Menselijke hebzucht kan nooit worden gestild, en zeker niet door geschenken.'

Butler fronste zijn wenkbrauwen. 'Maar wat als de mensen... wij, wel te verstaan... Wat als we wakker waren geworden?'

'Ah, ja. Uitstekende vraag. De kern van de zaak. We zouden niet wakker worden. Dat is de aard van de tijdsstop. Je behoudt de staat van bewustzijn waarmee je erin gaat, ongeacht hoe die is. Je kunt niet wakker worden en ook niet in slaap vallen. De laatste paar uur moet je de vermoeidheid in je botten hebben gevoeld, maar je geest stond niet toe dat je in slaap viel.'

Butler knikte. Via een omweg werd het toch allemaal een beetje duidelijker.

'Dus mijn theorie was dat je alleen maar aan het tijdsveld kon ontsnappen door gewoonweg in slaap te vallen. Ons eigen bewustzijn was het enige dat ons gevangen hield.'

'Je hebt wel akelig veel op basis van een theorie geriskeerd, Artemis.'

'Niet alleen op een theorie. We hadden een proefpersoon.'

'Wie? Ah, mevrouw Fowl.'

'Ja. Mijn moeder. Door haar door medicijnen gestuurde slaap volgde zij de natuurlijke loop van de tijd, ongehinderd door het tijdsveld. Als ze dat niet had gedaan, zou ik me gewoon aan de elfʙɪ hebben overgegeven en mijn hersens gewillig door hen hebben laten wissen.'

Butler snoof verachtelijk. Hij betwijfelde het.

'En omdat we dus niet op een natuurlijke manier in slaap konden vallen, heb ik ons allemaal gewoon een dosis van moeders pillen toegediend. Eenvoudig als wat.'

'Je bent er anders mooi vanaf gekomen. Eén minuut later...'

'Klopt.' De jongen knikte. 'Het was op het eind heel erg spannend. Dat was nodig om de elfʙɪ af te bluffen.'

Hij wachtte even zodat Butler de informatie kon verwerken.

'Nou, vergeef je me?'

Butler zuchtte. Juliet lag op de ligstoel te ronken als een dronken zeeman. Hij moest plotseling glimlachen. 'Ja, Artemis. Alles is vergeven. Alleen één ding...'

'Ja?'

'Dit nooit meer. Elfen zijn te... menselijk.'

'Je hebt gelijk,' zei Artemis, terwijl de kraaienpootjes rond zijn ogen dieper werden. 'Dit nooit meer. We zullen onszelf in de toekomst tot smaakvoller ondernemingen beperken. Of dat allemaal legaal is, kan ik je niet beloven.'

Butler knikte. Dat was al heel wat. 'Goed, jonge meester, moeten dan nu niet eens bij je moeder gaan kijken?'

Artemis trok zo mogelijk nog bleker weg. Zou de kapitein haar belofte hebben gebroken? Daar had ze zonder meer alle recht toe.

'Ja. Laten we dat maar eens gaan doen. Laat Juliet maar slapen. Ze heeft het verdiend.'

Hij richtte zijn blik omhoog, langs de trap. Hij durfde er niet op te hopen dat hij de elf kon vertrouwen. Hij had haar immers tegen haar wil gevangen gehouden. Hij schold zichzelf in stilte uit. Stel je voor: haar met al die miljoenen laten gaan in ruil voor een wens. O, die lichtgelovigheid.

Toen ging de deur van de zolderkamer open.

Butler trok onmiddellijk zijn wapen. 'Artemis, achter me. Indringers.'

De jongen hield hem met een zwaai van zijn hand tegen. 'Nee, Butler. Ik denk van niet.'

Zijn hart bonkte in zijn oren, het bloed klopte in zijn vingertoppen. Zou het waar zijn? Zou het dan echt waar zijn? Op de trap verscheen een gestalte. Als een spookverschijning in een badjas, met nat haar van het douchen.

'Arty?' riep ze. 'Arty, ben je daar?'

Artemis wilde antwoord geven, hij wilde met uitgestrekte armen de statige trap oprennen. Maar hij kon het niet. Zijn hersenfuncties hadden hem in de steek gelaten.

Angeline Fowl kwam de trap af, met een hand lichtjes op de leuning. Artemis was vergeten hoe gracieus zijn moeder kon zijn. Haar blote voeten dansten over de met tapijt beklede treden, en even later stond ze voor zijn neus.

'Goedemorgen, liefje,' zei ze vrolijk, alsof het een doodgewone dag was als alle andere.

'M-moeder,' stamelde Artemis.

'Kom, geef me eens een kus.'

Artemis deed een stap naar voren en beantwoordde de omhelzing van zijn moeder. Die was warm en sterk. Ze had parfum op. Hij voelde zich de jongen die hij was.

'Het spijt me, Arty,' fluisterde ze in zijn oor.

'Wat spijt u dan?'

'Alles. De laatste paar maanden ben ik mezelf niet geweest. Maar alles wordt anders. Het wordt tijd dat ik eens ophoud met in het verleden te leven.'

Artemis voelde een traan op zijn wang. Hij wist niet zeker van wie die traan was.

'En ik heb niet eens een cadeautje voor je.'

'Een cadeautje?' vroeg Artemis.

'Natuurlijk,' zei zijn moeder zangerig, terwijl ze hem omdraaide. 'Weet je dan niet wat voor dag het vandaag is?'

'Wat voor dag?'

'Het is Kerstmis, domme jongen. Kerstmis! Daar horen toch cadeautjes bij, of niet?'

Ja, dacht Artemis. Traditie. De kerstman. San D'Klass.

'En moet je zien hoe het er hier uitziet. Somber als een grafkelder. Butler?'

De bediende stak snel zijn Sig Sauer in zijn zak.

'Ja, mevrouw?'

'Bel Brown Thomas voor me. En de creditcardmaatschappij. Heropen mijn rekening. En zeg tegen Hélène dat ik kerstversiering wil. Met alles erop en eraan.'

'Ja, mevrouw. Alles erop en eraan.'

'O, en maak Juliet wakker. Ik wil dat mijn spullen naar de grote slaapkamer worden verhuisd. Die zolder is veel te stoffig.'

'Ja, mevrouw. Ogenblikkelijk, mevrouw.'

Angeline Fowl stak haar arm door die van haar zoon. 'Zo, Arty, en nu wil ik alles weten. Om te beginnen: wat is er hier gebeurd?'

'Renovatie,' zei Artemis. 'De oude deuropening zat vol vocht.'

Angeline fronste haar wenkbrauwen, absoluut niet overtuigd. 'Aha. En hoe is het op school? Weet je al wat je wilt worden?'

Terwijl hij met zijn mond deze alledaagse vragen beantwoordde, was Artemis' hoofd aan het tollen. Hij was weer een jongen. Zijn leven ging ingrijpend veranderen. Om niet de aandacht van zijn moeder te trekken zouden zijn plannen nog slinkser moeten worden dan ze al waren. Maar dat was het hem wel waard.

Angeline Fowl had ongelijk. Ze had wel een kerstcadeautje voor hem meegenomen.

# Epiloog

Nu je het dossier hebt gelezen, zul je wel begrijpen wat voor gevaarlijk wezen die Fowl is.

Er bestaat een tendens om Artemis te romantiseren. Om hem kwaliteiten toe te dichten die hij niet heeft. Het feit dat hij zijn wens heeft gebruikt om zijn moeder te genezen is geen teken van genegenheid. Hij deed dat alleen maar omdat de kinderbescherming al bezig was met een onderzoek naar zijn geval, en het nog maar een kwestie van tijd was voor hij onder toezicht werd gesteld.

Hij heeft het bestaan van het Volk alleen maar stilgehouden zodat hij ze al die jaren kon blijven uitbuiten, en dat heeft hij dan ook diverse keren gedaan. Zijn enige fout was dat hij kapitein Short in leven heeft gelaten. Holly werd de belangrijkste elfBI-expert op het gebied van de Artemis Fowl-dossiers, en ze was van onschatbare waarde in de strijd tegen de meest gevreesde vijand van het Volk. Deze strijd zou nog een aantal decennia duren.

Ironisch genoeg was de grootste triomf voor beide hoofdrolspelers de tijd dat ze tijdens de koboldopstand met elkaar moesten samenwerken. Maar dat is weer een heel ander verhaal.

Rapport samengesteld door: Doctor J. Argon, Doctor B. Psych, voor de dossiers van de elfBI-Academie.
De details zijn voor 94 procent accuraat en voor 6 procent onvermijdelijke extrapolatie.

# Moddermens!

Ken jij de geheimen van het internet?

Ben jij technisch net zo gedreven als onze vriend Artemis Fowl?

Spreek je je talen vloeiend en weet je wat er in de wereld te koop is?

*Het geheim van Artemis Fowl*
*is het geheim van het Volk*

Ben jij in staat om het raadsel te ontraadselen?

Heb jij in huis wat nodig is om de code te kraken?

Surf dan naar www.artemisfowl.nl

# In de ban van Artemis Fowl?

## De Russische connectie

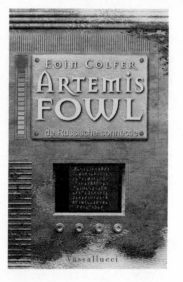

In deel 2 keren alle vertrouwde personages uit deel een terug: dit maal is de plaats van handeling Rusland, en is de voornaamste opponent de Russische mafiya, die de vader van Artemis heeft ontvoerd. Wanneer Artemis en Butler zich gereed maken om naar het koude Noorden af te reizen, worden ze ontvoerd, en wel door een oude bekende: elfbi kapitein Holly Short. De elfen willen dat Artemis hen bij staat in hun strijd tegen de gobelins. Artemis stemt in, op voorwaarde dat de elfen hem naar Rusland brengen...

## De eeuwige code

In deel 3 ontdekt Artemis een manier om middels van de elfen gestolen technologie een supercomputer te bouwen, de zogenaamde 'Zie-Kubus' Artemis gaat in zee met een zaken-man uit Chicago, Jon Spiro, met wie hij de computer wil ruilen voor goud. De ontmoeting blijkt een valstrik: Spiro gaat er met de Zie-Kubus vandoor en laat Artemis' bodyguard Butler voor dood achter. Artemis zijn enige hoop om Butler te redden is elfenmagie. Hij moet noodgedwon-gen contact opnemen met zijn oude rivale Holly Short, wil hij het leven van Butler kunnen redden...